Une approche occidentale du zen

PRÉFACE

La plus grande partie de cet ouvrage est composée de notes provenant d'un cours sur le Zen, donné à la Société bouddhiste. Ce cours eut lieu de septembre 1969 à mars 1970, puis fut complété par un programme écrit, de septembre 1970 à mars 1971. Pour aider le lecteur, j'ai néanmoins commencé ce volume par une série de chapitres sur le bouddhisme de base, suivis de chapitres sur l'école Zen du bouddhisme. C'est alors seulement que j'ai écrit le cours lui-même sous le titre : « Une approche occidentale du Zen », en expliquant les raisons de cette présentation.

Plusieurs des premiers chapitres ont paru dans diverses revues théosophiques et bouddhistes, en particulier dans *The Middle Way*, journal de la société bouddhiste, et j'exprime ici mes remerciements aux rédacteurs. Pour écrire les chapitres des troisième et quatrième parties, je me suis servi de notes utilisées pour le cours. « Les Expériences Zen » sont tirées de *Zen Comes West*.

Je ne revendique ni les jugements ni la thèse de cet ouvrage et les opinions et les suggestions qu'il contient étant fondées sur une expérience personnelle j'ai donné peu de références précises sur les très nombreuses citations. Lorsque j'avance des idées qui peuvent paraître étranges à la mentalité occidentale je crois utile de m'appuyer sur les paroles d'auteurs distingués mais sans prétendre non plus qu'ils font autorité ; indiquer la source exacte de ces citations me paraît superflu.

La moitié de ces citations me viennent des propos ou des œuvres du Dr D. T. Suzuki, mort en 1966 à l'âge de 95 ans. Il vint pour la première fois à la Société en 1936 et en 1946. Je passai de longs instants avec lui au Japon. Puis nous entretinmes ensuite une incessante correspondance lorsque j'étais son représentant à Londres où je m'occupai de l'édition ou de la réédition d'une douzaine de ses œuvres. Il vint plusieurs fois à la Société en 1953, 1954 et 1958, et rendit d'immenses services à la classe de Zen. C'est à mon sens le plus grand bou d dhiste que j'aie rencontré en cinquante ans, et au sujet du Zen il alliait des connaissances profondes à une expérience spirituelle qui faisaient de lui un être unique. Pour moi, c'était un maître du Zen comparable aux plus grands. Et toute proposition que je m'aventure à énoncer doit être confirmée par les paroles du maître.

Quelques poèmes ont été introduits dans le texte car les vers me paraissent souvent un meilleur moyen d'expression que la prose. Certains poèmes ont déjà paru dans *Buddhist Poems* (Allen & Unwin, 1971).

Je suis reconnaissant à tous ceux qui ont pris mon manuscrit original, qui était mal dactylographié, et l'ont mis sous une forme intelligible ; en particulier Miss Pat Wilkinson, Miss Muriel Clarke, Mrs Dorothy Willan et M. Hyde Chambers ; ils appartiennent tous à la Société Bouddhiste.

Il reste la question non résolue des signes diacritiques et la manière de présenter les termes des langues orientales. Pour les premiers, je suis partisan d'en utiliser le moins possible, car il faut leur trouver une forme occidentale. Quant aux termes qu'on doit conserver parce qu'ils n'ont pas d'équivalent dans nos langues, je les ai anglicisés dans la mesure du possible. Comme le nombre des bouddhistes s'accroît dans les pays occidentaux, nous devons apprendre les nombreuses significations de ces mots dans leur langue originale et les employer pour enrichir notre propre langue. Beaucoup d'entre eux ont déjà pris place dans notre vocabulaire.

Quant à mon épouse, depuis quarante-cinq ans que la Société existe, je n'ai pas publié un seul mot sans qu'elle l'ait soigneusement examiné et parfois modifié. Toutefois j'assume la responsabilité « karmique » de tout ce que contient ce livre.

LE PROBLÈME

1. Le bouddhisme Zen est arrivé en Occident.

2. Sous la forme de l'École du Zen Rinzai qui fait un large emploi du système « Koan » [1].

3. Il est peu probable que des Roshis du Zen Rinzai résideront en Europe ou que de nombreux Européens atteignent jamais le rang de roshi.

4. Peu probable que de nombreux étudiants occidentaux apprennent le japonais ou passent des années dans un monastère japonais.

5. Dans ces conditions, comment un étudiant occidental pourra-t-il aborder le Zen, en faire l'expérience et parvenir à la « maturité » nécessaire pour en faire l'application à la vie quotidienne ?

6. Je propose un cours de développement mental et de contrôle de soi-même, en même temps que le développement de l'intelligence, et l'éveil de l'intuition qui conduit à ce que j'appelle ici la pensée illuminée, c'est-à-dire la préparation de l'esprit à l'expérience directe de la réalité telle qu'elle apparaît dans la conscience Zen.

1. Voir glossaire.

INTRODUCTION

Ce livre n'est pas un livre ardu à l'usage des savants, il est destiné à venir en aide au commun des hommes. C'est l'œuvre d'un esprit occidental qui vit dans les pays occidentaux, qui refuse d'accepter que le Zen soit le monopole des Chinois et des Japonais et qui n'admet pas que l'Orient ait le droit exclusif de se l'approprier.

La mentalité occidentale est complémentaire de la mentalité orientale, ni meilleure ni pire, mais profondément différente. L'Occident abordera donc le Zen autrement que ne le font la Chine ou le Japon.

Je crois que le bouddhisme Zen peut apporter à l'Occident quelque chose qui lui manque actuellement, dont il a un réel besoin spirituel, et qui semble n'exister sous aucune autre forme.

Le Zen définit les limites de l'intelligence et montre qu'on n'atteint la vérité, distincte d'une doctrine changeante, que grâce à une faculté qui s'exerce au-delà de la pensée, à une faculté qui, en Orient, a le nom de Buddhi ou de Prajna et qui s'appelle intuition dans les pays occidentaux. On doit utiliser la pensée jusqu'à ses extrêmes limites, mais quand on a épuisé toutes ses ressources, il reste la connaissance réelle qu'on ne peut décrire et qui est expérience pure d'un esprit averti.

Le bouddhisme Zen, qui est une école de spiritualité — sous ce terme nous comprenons ici l'école Ch'an de la Chine et l'école Zen du Japon —, fut fondé au 6e siècle après J.-C. pour atténuer les extravagances de la pensée bouddhiste indienne et pour revenir brutalement à l'origine du bouddhisme, qui est l'illumination de Gautama le Bouddha. Les premiers maîtres du Ch'an parvinrent à ce stade, direct et personnel, sans textes sacrés et sans rites, et tout l'enseignement du Zen porte sur une seule chose, la conscience de l'absolu dans le cœur de l'homme.

L'Occident diffère de l'Orient dans le rôle qu'il assigne à l'intelligence. « Au-dessous », dans la perception psychique et « au-dessus », dans l'intuition, quelques-uns peuvent trouver la vérité ; pour le plus grand nombre, le pouvoir de la pensée, extravertie dans le monde qui nous entoure, ou introvertie dans l'étude psychologique, reste la puissance suprême. Que nous approuvions ou non cet état de choses, il faut l'admettre comme faisant partie de notre civilisation actuelle.

Mais les limites de la pensée sont évidentes et reconnues par les plus grandes intelligences de ce temps. A mesure que l'idée de Dieu, confondu par le christianisme avec l'absolu, s'efface de notre conscience, apparaît le besoin croissant de l'au-delà, dont le symbole sauveur-créateur n'est plus acceptable. Un nombre de plus en plus grand d'individus cherchent, au-delà de l'intelligence, un moyen de parvenir à ce stade supérieur. Ce moyen est connu de l'Orient depuis douze cents ans, et les occidentaux, auxquels feu le Dr Suzuki l'a patiemment expliqué pendant cinquante ans, connaissent le bouddhisme Zen, mais hélas ! fort mal le Zen lui-même. Cela est inévitable car même ceux qui s'y intéressent comprennent rarement que le Zen n'est qu'un nom donné à l'absolu et qu'il n'est pas possible à l'esprit qui ne connaît que la valeur relative des choses de le concevoir. Ils le ravalent au niveau de l'hypothèse et de la discussion ; d'autres, plus absurdes encore, disent : le Zen, c'est formidable ! et s'en éloignent — heureusement peut-être.

Peu importe. Le Zen est à l'abri de toute destruction, bien que la manière dont on l'aborde aujourd'hui soit vouée à disparaître — ainsi que toutes les autres formes d'approche. Mais ici, en Occident, il nous faut, pendant quelque temps du moins, considérer que nous aurons beaucoup d'efforts à faire pour découvrir la réponse à laquelle nous aspirons.

Ce qui suit n'est donc pas autre chose qu'une tentative, née d'une expérience personnelle et de quarante années de travail en commun, pour suggérer, sans l'imposer, un moyen de parvenir à ce nouvel état de conscience. C'est un moyen pratique de formation mentale qui permettra peut-être à certains d'aborder cet état de conscience immédiat et direct de Non-dualité (« pas un, pas deux ») qu'on appelle le Zen. Ceux qui veulent bénéficier de ce cheminement doivent s'y engager. Lire ne sert à rien. Cela ne s'apprend pas comme une leçon. Et ceux qui suivent ce cheminement devront appliquer leur volonté à consacrer une longue période à un travail très dur, et avoir confiance dans les résultats. Tout ce que je peux dire, c'est que dans cette voie, où je me suis engagé depuis de nombreuses années, j'ai constaté que les résultats étaient proportionnels au travail accompli. Que ceux qui attendent des merveilles, des révélations surprenantes, n'aillent pas plus loin. Au début on n'éprouvera ni réconfort, ni paix de l'esprit, ni joie, mais une tension accrue et un surcroît de « souffrance ». Je crois que c'est inévitable et que c'est ainsi que nous nous développons et que nous nous élevons.

Cette voie est destinée à ceux qui savent que nous vivons dans un monde de relativité et non dans un état de conscience imaginaire que nous n'avons pas encore atteint. Le bouddhisme admet qu'il existe une vérité absolue et une vérité relative, et dans le monde du « devenir » (Samsara) et des contraires, tout savoir, du point de vue de l'absolu, est illusoire et sans réalité. Devant cette situation, efforçons-nous de nous abstraire de la dualité ; engageons-nous dans une voie où nous progresserons pas à pas, à travers l'illusion du temps. Plus tard, beaucoup plus tard, quand la conscience aura atteint le niveau de la pensée illuminée par la vision directe de la réalité, nous pourrons adopter le langage du paradoxe et parler de la vanité de tout effort et de la brusque prise de conscience du vide suprême qui est au-delà du temps.

Mais n'allons pas trop vite. Ne brûlons pas les étapes. Nous « verrons », quand le moment sera venu, que le Nirvana est *ici*, que nous sommes déjà illuminés ; mais c'est encore trop tôt. Soyons humbles, contentons-nous de ce que nous savons aujourd'hui.

Le but de notre cheminement est de provoquer une élévation de notre niveau de conscience habituel. Lorsque cela est acquis, j'ai constaté d'après mon expérience personnelle que l'esprit est mieux préparé à faire l'expérience du Zen qui, bien que n'étant jamais le *résultat* d'une éducation, se produira plus aisément dans certaines conditions de l'esprit.

Au cours de ce cheminement, le motif se purifiera, le moi commencera à mourir et apparaîtront, fugitivement au début, puis plus substantiels ensuite, des « moments » de l'expérience Zen, qui fit d'un prince hindou, un Bouddha : Celui qui possède la lumière, l'Illuminé. Nous aurons des visions psychiques et des lueurs sur le plan de la pensée, mais nous aurons surtout un aperçu clair, inoubliable, incommunicable de l'absolu. Nous aurons la sagesse de nous souvenir des paroles du Dr Suzuki : « Le Zen est un système de discipline morale fondé sur le *satori* [1] ». En d'autres termes, ce premier aperçu, cette première percée vers la lumière, est le premier pas sur le chemin, mais ce n'est

1. Voir glossaire.

pas le bout du Chemin, ce n'est pas le but. Et pour cette première expérience l'humilité est plus que jamais de rigueur. Dans le mouvement bouddhiste occidental trop de gens déclarent trop vite : Je suis « éclairé » et croient l'être réellement.

On a beau polir une tuile, on n'en fera pas un miroir. Eh bien ! on a beau polir l'esprit humain on n'en fera pas un bouddha. Inutile de faire le vide, car l'esprit est déjà vide. Inutile de le remplir, il est déjà rempli. Comme l'a fait remarquer le patriarche Huig-Neng, « l'esprit, dans son essence, est intrinsèquement pur. » Mais pour le vérifier il faut avoir l'intuition. Comment donc développer cette faculté nécessaire ?

On peut dire, encore une fois, qu'entre le relatif et l'absolu il n'y a pas de communication possible. C'est vrai du point de vue de la logique, mais l'exercice du Zen doit précisément supprimer les limitations d'une telle logique. Chaque jour le Zen établit le pont en montrant que celui-ci est inutile. Si l'on se rend compte que le relatif et l'absolu ne font qu'un, à quoi bon chercher à les faire communiquer ? Qu'il me soit permis de citer plusieurs passages des œuvres du Dr Suzuki : « On ne peut établir aucun rapport causal entre la pensée bouddhiste et le fait réel du Satori [1], [mais] le principal objet de la vie bouddhiste consiste à éprouver une certaine réaction spirituelle qui nous rend capable de quitter la rive dualiste de ce monde individualiste pour aller sur l'autre rive, celle du Nirvana. Pour réaliser ce changement il faut une discipline spirituelle qui finalement nous conduit à une certaine condition intérieure d'illumination, de réalisation de soi-même ; l'œil intérieur s'ouvre à la lumière... De toutes les écoles du bouddhisme, le Zen est par excellence la religion de l'illumination. »

Récapitulons. Les sages estiment qu'il est inutile de développer l'esprit, de le purifier et de l'ennoblir car l'esprit est déjà l'esprit du Bouddha, c'est-à-dire qu'il est pur, parfait, et par conséquent ne peut être progressif. Il suffit d'observer ce fait et de le connaître. Mais comment ? C'est là le sujet principal de ce petit ouvrage. Par quel procédé, par quel chemin, si escarpé soit-il, arrive-t-on à prendre conscience de ce fait ? Une enquête attentive auprès de ceux qui me paraissent être des sages, vivants ou morts, me conduit à penser que cela dépend de l'avancement de l'esprit en question. Je n'ai jamais

1. Voir glossaire.

rencontré personne à qui cette règle ne s'appliquât pas. Il y a ceux — et ils sont nombreux — qui connaissent la signification du mot Satori, mais ceci est le commencement et non la fin. Puis l'expérience arrive à maturité et suscite la Compassion et la Sagesse. Enfin l'expérience s'approfondit, s'élargit et, pour beaucoup, c'est une nouvelle vie.

En attendant, la plupart d'entre nous sont au bas de l'échelle et cherchent le moyen de grimper au sommet. Quels que soient sa propre expérience ou ses progrès, je pense que c'est le devoir de tout homme de rendre accessible aux autres les étapes qu'il a franchies sur ce chemin.

LE BOUDDHISME DE BASE

LE BOUDDHA

Dans une introduction à sa traduction du Dhammapada, le Dr Radhakrishnan, le savant hindou qui fut Président de l'Inde pendant de nombreuses années, écrit : « Le Bouddha appartient à l'histoire de la pensée du monde, à l'héritage de tous les hommes cultivés. Du point de vue de l'intégrité intellectuelle, de la rigueur morale et de l'intuition spirituelle, c'est sans aucun doute l'une des plus grandes figures de l'histoire. » H. G. Wells disait plus simplement que c'était le plus grand homme qui eût jamais vécu. Plus modestes, certains d'entre nous osent se dire ses disciples et parler en son nom. Pour nous il est celui qui atteignit complètement le but, qui en montra le chemin — ce chemin qu'il avait découvert et suivi lui-même.

C'est une figure historique et il est certain que les cendres que l'on conserve sur l'autel du temple de Maha Bodhi à Calcutta sont les restes du corps qu'il revêtit dans sa dernière incarnation. On lui a conféré quantités de titres et d'attributs, donné quantités de noms, mais jamais celui de créateur de l'univers ni celui d'un dieu personnel qu'il faudrait adorer et qui aurait le pouvoir d'épargner aux hommes les fruits de leur propre folie. Il vint après d'autres mais ne fut pas le dernier de sa lignée, lui qui fut toute illumination, le Bouddha. Ainsi nous souvenons-nous de lui avec gratitude si nous acceptons la valeur de cette vertu. Avec amour et vénération pour celui dont la conscience s'étendait à tout l'univers, qui nous rendit possible d'accomplir le même chemin que lui et de vivre en ayant conscience de cette totalité à laquelle nous n'avons pas cessé d'appartenir.

Gautama Siddhartha était un prince de la tribu Sakya, au nord-est de l'Inde. Nous ne manquons pas de détails sur sa vie, dont se sont emparés le mythe et la légende. D'une grande beauté, d'une magnifique intelligence, il assimila la philosophie des sages qui étaient à la cour de son père et par ses faits d'armes conquit Yasodhara, son épouse. Ils eurent un fils et étaient aussi heureux qu'il est possible de l'être sur le plan humain. Mais Gautama avait derrière lui une centaine de vies de préparation et dans celle-ci, la dernière, il fut marqué par une vocation. Il comprit, à temps, comme chacun de nous doit le faire, ce qu'étaient la vieillesse, la maladie et la mort et le symbole d'un idéal qui dépassait le bonheur terrestre. Il choisit le renoncement comme chacun de nous doit le faire aussi. Il abandonna le trône et le royaume, son foyer et sa famille et, vêtu de haillons, partit dans la jungle, sans rien d'autre qu'une volonté indomptable pour chercher la cause de la souffrance qui semblait inhérente à la vie, pour extirper cette cause et montrer la voie qu'il fallait suivre pour parvenir à cette fin. Après une longue et dure période d'austérité et de privations, épreuve réservée à tous ceux qui luttent pour s'arracher à leur moi et pour l'anéantir, enfermé en lui-même dans le combat final, sous l'arbre à Bodh-Gaya, le méditatif reçut l'illumination. Ce ne fut pas une brusque lueur, une simple « expérience » de non-dualité, mais l'avènement total et parfait d'un état de conscience suprême, le plus profond et le plus complet qui eût jamais existé. Dès lors le Bouddha savait ce qu'était la connaissance et qu'elle était sans limites. On raconte qu'un certain Upaka, l'hérétique, le rencontra et lui dit : « Vous respirez la sérénité, vous avez le teint clair. Qui est votre maître ? »

La réponse du Bouddha est d'une énorme importance pour chacun de nous. « Je n'ai pas de maître. Je suis celui qui a l'illumination. J'irai à Benarès pour promouvoir la roue de la Loi. Je battrai le tambour pour faire connaître ce qui est immortel au milieu des ténèbres du monde. »

Telle est l'affirmation sur laquelle repose le bouddhisme. Que signifie-t-elle ? D'abord, qu'ici, dans ce monde, le Bouddha était déjà dans le Nirvana. Le Nirvana n'est pas un vague « au-delà », il est ici, à notre portée. Deuxièmement, que ce qu'un homme peut faire, tous peuvent le faire, car en voilà un qui avait atteint la perfection et qui n'était pas Dieu. Et troisièmement, que l'homme peut appréhender le Non-né, le Non-créé, l'immortel, ici même, dès à présent.

Et il enseigna pour aider les hommes à se former eux-mêmes, comme il l'avait fait, à discerner les signes de l'Être qui sont la triple nature de toute chose, à détruire « la maison du moi » pour arriver au Nirvana dès maintenant. Tout cela sans dogme, sans qu'il soit question d'une autorité révélée ni de salut opéré par un être surnaturel. Comme le dit le Dr Radhakrishnan : « Il ne permettait pas à ses adeptes de refuser le fardeau de la liberté spirituelle. »

Il instruisit pendant cinquante ans tous ceux qui venaient à lui, rois et brahmanes, guerriers et cultivateurs, mendiants et criminels. Tous, et chacun selon ses besoins. Il fonda un ordre pour ses adeptes. Cet ordre, le plus ancien du monde, ne fut jamais une société fermée. « Allez, leur disait-il, et proclamez la doctrine glorieuse pour le plus grand bien des dieux et des hommes. »

Cette vie symbolique, ultime modèle pour nous tous, arriva à son terme et son corps — sa dernière incarnation — fut abandonné et brûlé. Des conseils se réunirent pour fixer la doctrine. Des écoles, reflétant les différents aspects de l'esprit humain, se formèrent et se répandirent au sud, au sud-est, à l'est et au nord et finalement, aujourd'hui, dans les pays occidentaux. Cet enseignement fut certainement dénaturé par ceux qui sont venus après lui. Des moines ont modifié le texte original. Mais il reste en sept langues une centaine de volumes, d'une importance capitale : c'est plus qu'il n'en faut pour nous apprendre à digérer des connaissances au cours de douze vies futures. Nous avons le Dhamma [1], mais surtout n'oublions pas ce que fut l'homme. Aimons ce suprême exemple de la vie sainte avec gratitude et une fervente volonté de le suivre.

Malheureusement, nous n'avons que trois ouvrages sur la vie du Bouddha, *Life of the Bouddha,* par Mme Adams Beck ; *Life of the Bouddha* par E. H. Brewster [2], tirée du canon Pali, et *The Life of the Buddha in Legend and History* par E. J. Thomas. Pourquoi ne pas les lire et les étudier attentivement ? Tôt ou tard il faudra bien que nous consacrions cette même force de volonté au service de l'humanité, cette clarté de l'intelligence, cette infinie compassion et cette sagesse exprimées avec tant d'humour et de gentillesse.

Quelle est donc la relation du Bouddha, de cet homme avec nous-mêmes ? Est-ce seulement le souvenir d'un être qui vécut il y a des centaines d'années ? Le bouddhisme nous parle d'un grand pas accompli dans l'expérience spirituelle. Cela doit être compris de tous les bouddhistes car le bouddhisme est beau-

1. La doctrine (N.d.T.).
2. Traduction française *La vie du Bouddha,* Payot (N.d.T.).

coup plus qu'une collection d'idées. A partir de l'homme il faut aller au principe, le principe intérieur du Bouddha. « Regarde en toi-même, dit *La Voix du Silence*, tu es Bouddha. » On trouve la même chose dans le christianisme, de l'homme Jésus au principe du Christ : « Mon Père et moi ne faisons qu'un ».

Comment passe-t-on de l'un à l'autre ? Dans ce cas certainement par l'hindouisme. N'oublions pas que le Bouddha et son entourage cultivé étaient hindous et qu'ils étaient versés dans les textes sacrés des Védas et des Upanishads. Tous acceptaient le brahmanisme et l'idée d'une transcendance par rapport au monde phénoménal au-delà de la triade Brahma, Shiva et Vichnou. Certains allaient plus loin et parlaient de « parabrahmanisme ». Rappelons-nous que dans le Dhammapada, brahmane est un mot élogieux et jamais méprisant. Et tous ces hommes savaient que brahman ou l'incréé, le principe suprême de l'univers, est immanent dans l'existence quotidienne et que tout homme est déjà en quelque sorte brahman grâce à Atman, ce rayon de lumière de ce qui n'est pas né et qui est présent dans tout esprit. Dire qu' « Atman n'existe pas » est absurde, c'est nier la spiritualité de tout ce qui vit. « Dire qu'il n'y a pas d'Atman ce n'est pas assez dire — remarque le Dr Suzuki — il faut aller plus loin et dire qu'Atman existe, mais cet Atman n'est pas sur le plan du relatif mais sur le plan de l'absolu » (*The Field of Zen*, p. 91). Tout cela était connu du Bouddha et de ses disciples et le Bouddha n'en rejetait rien.

Mais il y avait autour de lui un hindouisme qui s'était dégradé, et de même que Jésus, qui était juif, voulut réformer le judaïsme, le Bouddha, qui était hindou, réforma l'hindouisme cinq cents ans plus tôt. Il essaya d'éviter les « indéterminés », les problèmes qu'on ne pouvait jamais résoudre entièrement ni saisir par la seule intelligence. Pour les expliquer il fallait attendre d'avoir franchi une grande partie du chemin. D'ici là, le bouddhiste se concentre sur la voie qui va de la souffrance à la non-souffrance, du désir à la paix, de ce qu'il est à ce qu'il voudrait être et à ce qu'il est vraiment, c'est-à-dire l'Atman, un rayon de la lumière intérieure.

Profonde est l'importance de cette évolution mentale qui va de l'histoire à la psychologie, de l'objectivité à la subjectivité, de la connaissance à l'expérience spirituelle. Même le fameux *Tat Twam asi* du mysticisme hindou peut conserver sa valeur de règle morale : Toi, l'individu, tu es *Cela* : l'absolu. (Pour montrer que la connaissance de soi est une prise de cons-

cience de son identité avec Dieu.) Ici nous restons dans le
domaine des hypothèses qui donnent lieu à discussion. Mais
regarder en soi-même et par une expérience personnelle voir
soudain que l'esprit du Bouddha, l'essence de la conscience
est là, en moi-même, en vous, en tout être vivant, c'est « un
moment hors du temps » où l'esprit commence la longue ascension qui le mène à l'illumination du cœur. Sans cet élan vers
la lumière, le Theravada [1] n'est qu'une philosophie morale,
n'ayant d'autre but que de supprimer la souffrance. Mais ceux
qui ont entendu « battre le tambour de ce qui est immortel »,
qui cherchent l'Incréé, qui savent que le Soi est le maître du
soi et qui aperçoivent au loin le père incréé des deux, peuvent
recevoir l'enseignement du Bouddha comme le message le plus
noble qui fût jamais adressé à l'humanité.

L'expérience se substitue à la doctrine et même la soudaineté de l'éveil à la lumière n'exclut pas la lenteur de l'initiation qui s'ensuit. Du premier contact de la vie à une étude
ultérieure profonde jusqu'au moment où finalement on émerge
de la chrysalide de la pensée et devient un pèlerin qui avance
d'un pas ferme sur le Chemin, c'est ainsi que nous progres-
sons.

On appelle généralement ce changement la période de conversion où l'on « tourne autour du siège de la conscience »,
comme dit le Mahayana ; bien qu'il se renouvelle perpétuellement, c'est un moment irrévocable. Cette expérience et tout
ce qu'elle entraîne concerne la conscience et donc le domaine
de l'illumination. Elle a d'énormes conséquences. D'abord
on prend conscience de ce que toutes les « choses » font partie
d'un tout indissoluble. D'où il résulte que les hommes sont
frères, qu'ils forment une même famille avec tout ce qui vit
et que rien ne meure. Toutes les formes participent de la Vie
qui est une et sont éclairées par les rayons de la Lumière, qui
est une. Cela est maintenant considéré comme un fait et non
comme un jargon mystique.

Mais si seul l'incréé, le non-né, *est* et si toute apparence qui
semble particulière n'est qu'illusion, il s'ensuit que ni les hommes
ni les choses n'ont d'existence réelle et personnelle et l'anatta [2]
est peut-être ressenti comme vrai pour la première fois. Et
l'impression que j'ai d'avoir ma propre identité est fausse, si
en réalité je fais partie d'un Tout incommensurable, alors la

1. Doctrine des Anciens du bouddhisme primitif. (N.d.T.)
2. Doctrine bouddhiste du non-moi, de l'absence de soi (N.d.T.).

compassion devient la loi de la vie et l'on peut dire que le bouddhisme repose sur les deux piliers de la Sagesse et de la Compassion qui ne font qu'un. Nous ne connaissons de la Sagesse
que ses applications. La Compassion est en effet « la loi des
lois ». Le premier pas sur le Chemin consiste vraiment à vivre
pour le bien de l'humanité et même les six vertus glorieuses
viennent après. Le mouvement du cœur suit le trajet suivant :
le moi commence par aspirer à la sagesse puis acquiert une
prise de conscience qui lui montre qu'il n'y a pas de moi distinct et que la sagesse, dans ce monde paradoxal, est le fruit
de son incessante participation au grand tout universel. Et
bien que ce mouvement bute sur des périodes d'obscurité où
le « Je » reprendra ses droits, il reste qu'on a vu la Lumière
et peu importe qu'on lui donne le nom de vision mystique
ou qu'on l'insère dans le domaine du savoir scientifique. Désormais le pèlerin revient sciemment à la maison du père.

Mais la conscience de celui qui participe déjà à la nature
du Bouddha opère un troisième changement. Nous évoluons
désormais dans le royaume du paradoxe. Parmi ceux qui luttent pour la non-dualité (ni un, ni deux) il faut que nous com-
prenions que ce que nous cherchons, nous l'avons déjà trouvé
et que le chemin, le voyageur et le but ne font qu'un.

Pendant ce temps-là nous apprenons à « avancer » ici même
car il n'y a pas d'ailleurs, dans le présent, car il n'y a jamais
que le présent, dans les limites du Karma [1] de l'existence que
nous sommes en train de vivre. Nous poursuivons notre route,
chacun à notre manière, nous prenons à notre gré le chemin
de la Sagesse, de la dévotion ou de la bonne action, en nous
plongeant dans l'étude et la méditation si nous en ressentons
le besoin, mais en luttant constamment pour exercer la sagesse
acquise au service de l'humanité. Tel fut l'exemple donné par
Bouddha ; exemple que dans notre ignorance où commencent
à percer quelques lueurs nous devons nous acharner à suivre.
Telle est la voie bouddhiste.

Qu'est-ce donc qu'enseigne le Bouddha ? En vérité nous
ne le savons pas, car la littérature bouddhique ne vit le jour
que quatre cents ans après sa mort et les textes sacrés que
nous possédons ont subi bien des remaniements. L'école la
plus ancienne est le Theravada, « l'Enseignement des Anciens »,
considéré par beaucoup comme la plus belle philosophie morale

---

1. La loi de cause à effet appliquée à l'esprit. Elle a pour corollaire
la doctrine de la réincarnation (N.d.T.).

qui existe. Avec les trois caractéristiques de l'Etre, les quatre
nobles vérités, la doctrine du Karma et de la réincarnation,
la Nibbana et l'idéal arhat, elle constitue un message auquel
on ne peut rester indifférent. Et l'Abhidhamma avec l'analyse
détaillée de la conscience fournit à la psychologie une étendue
que n'ont jamais atteinte les écoles occidentales.

Mais si le Bouddha refusa de discuter des « indéterminés »
du soi et de la cause première, les penseurs de l'Inde ont développé audacieusement les idées qui n'étaient qu'en germes
dans le Theravada. L'anatta, doctrine du non-moi, fut promue
au niveau du Sumyata, doctrine du Vide. Metta, l'amitié,
est la divine Compassion qui fait un avec la Sagesse, « la Sagesse
qui est allée au-delà ». L'idéal du Bodhisattva est complémentaire de celui de l'Ahrat. Le non-né, l'incréé, ne fait plus qu'un
avec le créé. Le Nirvana est ici, dans le Samsara [1], et c'est ici
seulement qu'on le connaîtra. Nous sommes déjà ce que nous
deviendrons, car nous sommes éclairés, mais nous ne le savons
pas parce que l'obscure Avidya, l'Ignorance, trouble encore
nos regards intérieurs.

Avec la création de l'école Zen, ou Ch'an, 1 000 ans après
la mort du Bouddha, le bouddhisme est devenu le champ le
plus vaste de la pensée humaine. Méraphysique, ontologie,
science de l'être, mysticisme, comprenant l'incréé, le non-né,
psychologie ou analyse de la conscience, moyens de perfec-
tionnement, rituel, morale, culture et art, tel est le champ du
développement de l'esprit où tous sont accueillis avec une
parfaite tolérance et sans limites de temps, et où de vie en vie
ils peuvent tout assimiler et avancer progressivement sur la
voie moyenne vers un nirvana qu'on découvre dès à présent
sur cette terre.

Outre l'enseignement et les préceptes, il reste essentiellement un mode de vie, un chemin à suivre et non un ensemble
de doctrines pour alimenter les conférences. « Le soi doit devenir le maître du Soi », c'est ce qu'ordonne le Dhammapada,
cela représente un dur travail personnel, mais à mesure que
l'esprit s'éveille et perçoit l'illusion de sa propre identité, il
arrive un moment où il *sait*, comme le Bouddha dit à l'humanité qu'il *savait*, que le moi est anéanti et que le Nirvana est
atteint.

Ce n'est pas tout. Passer de l'histoire au mysticisme, c'est

---

1. Le devenir incessant. Existence dans le monde, comparée au Nirvana (N.d.T.).

franchir un grand pas. Mais le Dharmakaya, l'Adi-Bouddha et les Dhyanis-Bouddhas du Tibet, l'Alaya-Vijnana de l'École du Seul Esprit, et surtout la doctrine du Sunyata (le vide de la réalité : le monde phénoménal et le monde nouménal ne font qu'un), font apparaître l'esprit du Bouddha comme ne faisant qu'un avec l'essence même de l'Esprit, le vide qui est plein, l'absolu que Bouddha appelait le « non-né », l' « incréé ».

Telle est la bouddhéité, comparable à la « déité » d'Eckart (*Gottheit*), au parabrahmane des Hindous, au Fana-al-Fana du mysticisme persan. Mais ce but atteint par le Bouddha est accessible à tous et lorsque la conscience humaine ne fait qu'un avec l'esprit du Bouddha, il n'y a plus rien à dire parce que l'esprit du Bouddha fait un avec l'incréé, le « non-né ». Cela nous paraît impossible à saisir aujourd'hui autrement que par l'idée. Pour savoir cela, il faut que la croyance s'associe à la conscience, que la pensée plonge dans l'intuition — *prajna* — et que les mots pâlissent à la lumière de l'illumination.

Au cours du voyage, le Bouddha, renonçant aux douceurs du Nirvana, devient notre guide patient. Lui qui connaît ce chemin et les blessures sanglantes qu'on subit à chaque pas, et le prix du soi qu'il faut payer à chaque étape, l'a décrit minutieusement. Le Bouddhisme constitue un guide détaillé de la Voie à suivre. Tel est celui dont le maître K. H., écrivant à A. P. Sinnet, disait : « c'est le plus sage et le plus saint des hommes qui aient jamais vécu ». En suivant les pas des millions de disciples qui se sont engagés dans cette voie depuis 2 500 ans, nous constaterons peut-être que cela est vrai.

Mais le chemin qui monte redescend. Le bouddhiste n'aspire pas seulement aux sommets. Son cœur s'ouvre au grand cri de l'humanité. Que nous évoluions dans la voie verticale de l'illumination, selon le principe d'Ahrat, ou que nous travaillions à l'éveil de tous, dans un mouvement horizontal de pure compassion, nous réalisons finalement l'accord de Prajna-Karuna — de la sagesse et de la compassion — qui ne sont qu'une seule et même chose et, découvrant pour nous-même une porte moins close sur le chemin final, nous traversons ce court mais redoutable passage jusqu'à l'aboutissement suprême.

Nous devons nous préparer à cette aventure, de réincarnation en réincarnation, comme l'enseigne le Bouddha, et utiliser la loi du Karma pour remodeler l'esprit et les conditions humaines afin qu'ils soient le plus près possible de l'aspiration du cœur. Tandis que meurt la froide illusion de la dualité, tandis que le fardeau de ce qu'on appelle le caractère, assujetti aux chaînes du désir, est lui-même anéanti, s'accomplit lentement et avec exaltation le mystère de la prise de conscience de l'inconscient. Toute chose ici-bas paraît divine. Chaque partie *est* le Tout. La forme *est* vide et le vide *est* forme. Ces absurdes contraires finissent par être faux et fastidieux. Le chemin de l'illumination soudaine est à notre portée : ce chemin, c'est nous et nous le parcourons lentement au rythme de notre respiration.

En résumé, comme l'a dit Huang Po : « Tous les Bouddhas et tous les êtres sensibles ne forment qu'un seul esprit et rien d'autre n'existe ». C'est notre rôle et notre devoir de découvrir que cela est vrai.

2

LES QUATRE NOBLES VÉRITÉS

Les quatre nobles vérités sont au centre du Bouddhisme et si elles sont vraies, elles doivent l'être pour tous les hommes en tout temps et en tout lieu. Sous une forme condensée elles montrent que la vie est inséparable de la souffrance (dukkha), sous quelque forme que ce soit ; que le désir égoïste en est la cause, cet appétit du moi pour sa propre satisfaction. Et que tout homme peut supprimer cette cause par une initiation physique, morale et spirituelle, connue sous le nom de la Noble Vie Octuple.

D'après le canon Pali de l'École Theravada, il est clair que cet enseignement est au centre des autres écoles de Bouddhisme. « La chose que j'enseigne, ô Bhikkus ! c'est la souffrance et la suppression de la souffrance », a dit le Bouddha. Et il a dit aussi : « C'est parce que nous n'avons pas compris ces quatre nobles vérités que nous avons erré si longtemps vous et moi autour de ce cycle de la réincarnation. »

Le mot *dukkha* a donné lieu à diverses interprétations. D'après les textes sacrés il signifie « naissance, vieillesse, maladie et mort. » Dukka c'est également être réuni à ce qu'on n'aime pas et séparé de ce qu'on aime. Ne pas obtenir ce que l'on désire. Mais ce mot a bien d'autres sens. Frustration, rivalité, sentiments de peur et de haine, imperfection et ignorance de l'esprit, insuccès dans la poursuite de l'idéal, tout cela est souffrance. Et pour les cœurs compatissants, les souffrances des autres, même si les vôtres sont minimes.

Pour Bouddha, dukkha est l'une des trois caractéristiques de « l'être », un fait que tout le monde peut vérifier. Autre fait qui paraît presque indiscutable, le changement se produit partout et en tout temps. Toutefois il n'est pas évident qu'il n'y ait jamais d'exception à cette deuxième règle et cela est important. Quant au soi, sous toutes ses formes, il est soumis à cette règle. Dans l'homme il n'y a pas d'entité permanente, pas d'âme individuelle et immortelle, mais une étincelle divine, reflet de l'absolu, que Bouddha appelle le « non-né », le « non-formé ». D'ailleurs ce principe ou atman conditionne toute la mystique brahmanique et n'appartient pas seulement à l'homme. Ce qui lui appartient, pendant la durée d'une vie sur terre, change constamment. Il réclame pour lui-même ce que son désir peut obtenir — ce désir change et meurt en même temps que lui. Sa tentative est donc vouée à l'échec et il n'en retire que souffrance.

De toutes les religions du monde, seul le Bouddhisme fait à la souffrance une place centrale et en explique la cause, non par l'intervention d'un dieu extra-cosmique, d'un Destin, quel que soit le nom qu'on lui donne, mais par la faute de l'homme lui-même, l'homme qui est stupide et aveugle.

Néanmoins une partie de la souffrance que nous subissons tous n'est pas entièrement imputable à nos fautes personnelles ni même à nos fautes collectives. Elle est inhérente à la nature des choses et durera aussi longtemps que l'univers tangible. Le « non-né » apparaît d'abord à nos yeux comme étant un et se divise en deux puis en trois, trinité fondamentale de la manifestation. Mais c'est sa division en deux qui nous paraît avoir une force dévastatrice car nous sommes dans une troisième position qui sépare les contraires positif-négatif, esprit-matière, bien-mal, et nous sommes tiraillés par les tensions qui attirent les contraires et qui en même temps les séparent. En même temps nous faisons un choix et, quel que soit le choix, « l'autre » est l'ennemi. La dualité nous empêche d'être complet et prendre conscience de cette incomplétude est en soi une forme de souffrance.

Aux sentiments que l'homme éprouve de son impuissance, de sa frustration, s'ajoute sa propre misère et celle de l'humanité. Dans son ignorance il lutte contre l'*autre*, mâle contre femelle, est contre ouest, contre les millions de parties d'un tout qui semble multiple. Et cette guerre sans fin, il la projette, pour employer un terme moderne, sur tout ce qui l'entoure, races, groupes, nations. Il est pénible de constater que tant que la guerre sera dans les esprits cette projection de masse connue sous le nom de guerre en sera le résultat visible. Nous voyons l'agression, l'ambition, la rivalité entre factions, religions, nations, entre individus et pour tous on utilise invariablement la même formule : la lutte pour survivre.

Dans cette guerre perpétuelle où la population de plus en

plus nombreuse fournit la « chair à canon » aux maîtres du pouvoir, quelle place y a-t-il pour la beauté, la quiétude et la paix ? Tout est souillé et détruit sous les clameurs de la colère. Et tandis qu'on rend un culte à la science, le cœur crie famine — et tout cela au nom du progrès !

Cela est un fait et qu'on ne vienne pas nous accuser de pessimisme. C'est voir les choses telles qu'elles sont. Bien sûr, il y a encore, il y aura toujours du bonheur, mais honnêtement que vaut ce bonheur ? Il est toujours temporaire, plus ou moins égoïste et dépendant de circonstances qui, comme tout le reste, changeront et disparaîtront.

Alors, quelle est donc la cause de « cette misère, de cette lamentation et de ce désespoir » ? Reportons-nous au Canon Pali : « C'est cet appétit insatiable qui engendre un regain de vie et qui, exerçant son avidité et sa convoitise, trouve ici et là un plaisir toujours nouveau... » Cet appétit se porte sur les objets matériels (« on veut se payer du bon temps ») et ce qui est pire, sur la sensualité (*Kama*) qui, au mieux, emprisonne la conscience dans un plaisir bestial.

On traduit le mot sanskrit *trshna* et le mot pali *tanha* par le mot *désir*, mais cela provoque de graves erreurs car le désir n'est, en soi, ni bon ni mauvais. C'est par le désir que le non-né a été introduit dans le Samsara [1]. Le désir a produit ce que le Bouddha appelle le « déroulement et le repliement du monde » et c'est grâce au désir que le disciple atteindra la Nirvana auquel il aspire.

Mais on fait du désir un mauvais emploi. Car le caractère « explosif » du désir dont parle Sri Krishna Prem crée toutes sortes de formes nouvelles : de nouveaux univers comme de nouvelles idées. « Le désir aiguillonne la volonté », disent les Orientaux. Si la volonté est la force motrice, comme le moteur d'une voiture, le désir c'est le chauffeur qui va où il veut. Le désir élevé et noble conduit au Nirvana ; le désir bas, assujetti à *kama*, est sensuel et cherche avec convoitise à satisfaire le soi ; il enchaîne à la roue celui qui, sans lui, aspirerait à la sagesse.

Le Dr Suzuki affirme que le désir bien dirigé mène à la compassion. Dans *Mysticism, Christian and Buddhist* (pp. 73 et 127) il dit : « il ne faut pas donner au désir un sens négatif. L'initiation du bouddhiste consiste à transformer *trshna* en

---

1. Voir glossaire (N.d.T.).

karuna, l'amour égo-centriste en quelque chose d'universel...
Quand les bouddhistes s'abandonnent à *trshna* sans entraver
sa marche, *trshna*, soif, appétit, apparaît sous forme de *maha-
karuna*, c'est-à-dire compassion absolue ». Il est donc absurde
d'essayer de lui échapper.

Il est sans doute préférable de considérer la cause de la souffrance comme un besoin intérieur de satisfaire les intérêts du
soi (self), notion que les occidentaux comprennent mieux.
Qu'est-ce donc que le soi comme cause de souffrance ? D'abord
il ne faut pas le confondre avec la personnalité qui est le masque
ou l'aspect extérieur de l'individu, dont l'esprit subit une tension permanente due aux appétits du soi et qui cherche sans
cesse à s'élever et à rejoindre l'essence même de son être, l'esprit,
l'esprit du Bouddha.

Il n'est pas facile de comparer la personnalité telle que la
définit la psychologie occidentale avec les cinq *skandas* [1] du
Canon Pali, mais cette difficulté n'intervient pas ici. Ce qui
nous intéresse, c'est le niveau atteint par les plus hautes sphères
de la conscience et le contrôle qu'elle peut exercer sur le masque
collectif, ou personnalité. Celui-ci ne doit pas être méprisé.
Les « véhicules » inférieurs de l'homme, qui sont les bases de
la conscience, se sont développés depuis les profondeurs de la
« matière » et chacun de nous vit avec un nombre de qualités
plus ou moins élevées et avec des désirs et des besoins animaux.
« Le Soi doit être le maître du Soi, quel autre maître pourrait-
il avoir ? », dit le Dhammapada. Mais il est bon que la personnalité entièrement nouvelle au cours de ses vies successives,
ait ses propres ambitions, dans les limites de l'ordre public.
Un jeune homme qui a le légitime désir de réussir sa vie paraî-
tra inévitablement égoïste aux esprits plus évolués, mais un
jeune homme normal, qu'il soit occidental ou oriental, ne se
soucie guère du salut de l'humanité, et pense surtout à sa car-
rière et au succès possible. Doit-on blâmer cette ambition ?

Mais le développement de la maturité est parsemé d'embû-
ches. Une partie de la personnalité devient mauvaise, anti-
sociale et nourrit un désir obsédant qui engendre la souffrance
en cette vie et en toutes les vies futures. L'ignorance — Avidya — semble en être la cause et en particulier ce que la Sutra
Tathagata-guhya appelle « l'hérésie de l'existence individuelle ». La malfaisance de cette hérésie nous est montrée en

---

1. Éléments qui sont les conditions causales de l'existence d'un être
ou d'une entité (N.d.T.).

quelques mots ajoutés à sa description dans *The Voice of the Silence* : « la grande hérésie de la séparation qui te détache du reste. » Et c'est là qu'est la difficulté. Cette fausse croyance est mauvaise car elle engendre un sentiment de différence et d'arrogante présomption qui sont nuisibles ; mais il y a pire : en détachant un individu du reste, on arrive à cette situation quasi démentielle où l'on considère les autres comme étant sans importance, sauf dans la mesure où ils servent ou desservent les besoins de ce soi particulier. Avec un nom, une adresse, un métier et un paquet de titres, voilà l'individu totalement différent des autres formes du non-né dans l'univers manifesté. Là est le grand blasphème.

Car les autres ne sont pas *autres* ; il n'y a pas de différence. Le Samsara [1], aux yeux de l'absolu, est *maya*, illusion. De même, aux yeux de ceux qui vivent dans le Samsara, l'absolu est *maya*, illusion. L'un est l'autre sont vrais et... faux. De l'un comme de l'autre, nous ne pouvons que dire « Pas-un, Pas-deux ».

Lorsqu'on a intuitivement compris cela, on juge pour ce qu'elle vaut cette incessante tension de la vie, qui est métaphysique et tout à fait impersonnelle, et l'on voit que l'individu est une unité de la vie, avec son propre conditionnement, sa tâche à accomplir, son *dharma*, son but immédiat qui est de jouer son rôle dans le dessein divin du non-né. « Que ta volonté soit faite et non la mienne. »

Mais il est rare que la jeunesse adopte ce point de vue et entende l'appel d'une telle vocation. Les jeunes gens ont une fraîche énergie à dépenser dans les futilités de la vie quotidienne. Plus tard, ils auront faim d'autre chose et seront amenés à « opérer une rotation au plus profond de la conscience », ce qui est la vraie conversion.

Qu'advient-il alors du moi (ego), tel que les occidentaux le comprennent, de ce moi indésirable qui est une ombre et qui s'est dévoyé, cette poubelle remplie d'éléments de pensée et de caractère que nous déplorons, nous qui connaissons les vertus de l'esprit.

Tout d'abord, comme je l'ai déjà dit, il ne faut pas confondre le moi avec la personnalité qui, en termes de développement, est normale. Le moi est anormal, quoique commun à beaucoup d'hommes et fertile en souffrances infinies. L'homme

---

1. Doctrine du devenir continuel. Existence *dans* le monde comparée au Nirvana (N.d.T.).

qui se vexe facilement est un fléau social qu'on retrouve à toutes les époques. Contrecarré dans ses ambitions personnelles, il cache la peur de son impuissance derrière son agressivité. Sa sottise se repaît d'elle-même et le moindre succès, obtenu brutalement aux dépens des autres, prend des proportions horribles et démentielles.

Mais cela ne fait pas partie de la véritable forme de vie de l'univers des hommes. C'est plutôt, me semble-t-il, une excroissance anormale qui, si elle n'est pas trop étendue, peut être réduite, comme disent les médecins, mais qui exige généralement le bistouri. Comparable au cancer, la maladie du « persécuté » risque de ronger et de détruire la personne morale.

Il n'y a pourtant pas lieu de pleurer sur le moi ni de l'attaquer, moins encore d'en réprimer les mouvements ou de le cacher. C'est simplement une idée absurde alimentée par des éléments aberrants de la personnalité ; mais l'élan de la force vitale nouvellement consacrée à des fins impersonnelles, ne peut rien accorder à la baudruche imbécile du moi.

La Troisième Noble Vérité est une affaire de logique : pour supprimer la condition, nous supprimons la cause. Mais si la cause réside dans le moi, avec son désir mal dirigé, engendré par l'illusion, peut-on le priver de vie ? Il faut aussi considérer d'autres faits, en particulier qu'il existe au moins deux *moi*, en dépit de ce que disent aujourd'hui les thérapeutes. Le Canon Pali est plein de références sur les aspects — élevés ou bas — du soi ; l'aspect supérieur que l'hindouisme et le bouddhisme mahayana appellent l'Atman et l'aspect inférieur dont le premier doit se dégager et où il ne doit voir qu'une totale illusion. En résumé, le problème n'est pas de savoir ce qu'il faut faire, mais comment le faire. Comment renoncer à soi-même ?

Si cette analyse est exacte, c'est à l'aspect aberrant de l'homme qu'il faut s'en prendre, à cette partie qui s'est fourvoyée dans l'hérésie de l'identité personnelle et qu'il faut détruire. Comment amener l'homme à une nouvelle prise de conscience de l'unicité et de l'indivisibilité de la vie, comment lui faire voir que « toutes les distinctions et toutes les particularités sont imaginées et fausses », que « lorsque l'esprit du Bouddha est redécouvert les *autres* n'existent pas » ?

Il y a deux manières de traiter le moi-soi en optant pour l'un ou en réunissant les deux en un seul, en raisonnant et en méditant pour rabaisser le soi ou en élevant la conscience afin qu'elle se pénètre de l'esprit du Bouddha et qu'il ne lui reste plus d'énergie pour soutenir le moi. Mais qu'il n'y ait pas de soi ou qu'il n'y ait que le soi, c'est une question de mots, le résultat est le même : « Celui qui a construit sa maison voit les chevrons cassés et les poutres détruites. Cette folie néfaste ne nous troublera plus jamais. »

C'est la Voie Moyenne entre les contraires du Soi. Comme l'a écrit le Dr Suzuki : « L'Illumination est un rapport entre le moi relatif et le moi absolu. En d'autres termes, elle consiste à voir le moi absolu se refléter dans le moi relatif ». Quand le soi s'est retiré, l'esprit du Bouddha peut circuler dans tous les véhicules, depuis les plus élevés jusqu'aux plus bas, exactement comme les moyens de transmission de l'énergie. En termes modernes, c'est la machine parfaite pour l'expression de la force. Mais un mot pour finir : la connaissance acquise grâce au Zen ne nous appartient pas. Selon la phrase désormais célèbre du R. P. Merton dans *Mystics and Zen Masters*, « le regard intérieur du Zen n'appartient pas à notre propre conscience mais c'est la conscience de l'Être qui pénètre en nous. »

Pour en revenir à la souffrance, nous l'avons examinée, acceptée et nous en avons expliqué la cause. En élevant notre cœur et notre esprit, nous la dominerons en refusant de réagir par la peine. Ainsi qu'il est dit dans *On Trust in the Heart* :

N'essaie pas de te débarrasser de la souffrance en faisant croire qu'elle n'est pas réelle ;
Si tu cherches la sérénité dans l'unité, la souffrance disparaîtra d'elle-même.

Quel est donc le chemin qui conduit à la suppression de la souffrance ? Comme l'a écrit récemment notre ami le professeur Abe, du Japon : « Le bouddhisme nous apprend à devenir un Bouddha ». Ce n'est pas simplement un ensemble de doctrines, mais un chemin d'auto-développement spirituel qui mène à l'illumination, réalisée par Gautama le Bouddha, et réalisable par tous et en tout temps. C'est donc un mode d'action, une manière d'agir, et nul savoir « sur ce sujet ou relatif à ce sujet » ne peut mener personne, par cet effort, plus près du but.

Le but le plus élémentaire est de faire disparaître la cause de la souffrance et le but le plus élevé est d'arriver à l'illumination. Les textes sacrés bouddhistes nous indiquent trois stades ; le Canon Pali fournit un magnifique système d'éducation morale et de développement de l'esprit, jusqu'à un certain niveau. L'idéal Mahayana du Bodhisattva et ses six vertus *paramita* sont des aspects de *prajna*, la sagesse suprême. Enfin le niveau le plus élevé, qui correspond à une définition absurde, traduite en anglais ou en français : Pas de motifs, Pas de But, pas d'Esprit ou l'Esprit du Bouddha et ici le chemin, le pèlerin et le but ne font plus qu'un. Alors seulement chaque pas que l'on fait est « bon » car tout ce qui est fait est « un moyen infini de faire des choses définies ».

Il est possible, je crois, d'après la littérature religieuse mondiale, d'établir une distinction entre le chemin que parcourt l'individu dans l'obscurité de l'Avidya, l'Ignorance (les chemins qui mènent à l'Un sont aussi nombreux que la vie des hommes !) et l'entrée dans la voie finale, la Voie courte, comme la nomment les Tibétains, qui est un point de non-retour. « On ne peut en revenir. Derrière moi, il y a une porte close ». Au-delà de cette entrée, cette « porte sans porte » du bouddhisme Zen, l'élève sera guidé car « quand l'élève est prêt, le maître apparaît. » Jusque-là chacun de nous fait des faux pas et se heurte dans le noir pour trouver son chemin, avance de trois pas et recule de deux. Peu importe. Pour faire le chemin, il suffit d'obéir à deux règles seulement : Commence et continue. Et le Bouddha nous a laissé un guide que nous n'avons qu'à consulter pour nous diriger.

Mais il faut parcourir chacun des pas du chemin. Il n'y a pas de détour possible et il n'y en aura jamais, ni de raccourcis. Il faut marcher tout seul et dans l'obscurité entendre le bruit de millions de pas devant, à côté et derrière nous. Sur ce chemin il n'y a ni chance ni hasard, bon ou mauvais ; chaque instant, chaque événement est le résultat de millions de causes qui toutes ont été engendrées par nous-même. Mais parce que nous sommes interdépendants, étroitement liés comme les enfants d'un père par la force vitale qui est le « non-né », nous nous aidons ou nous gênons les uns les autres, par nos pensées et nos actions, jusqu'au seuil du Nirvana.

C'est un chemin qui mène à la suppression de la souffrance mais sur ce parcours nous souffrirons plutôt plus que moins, car la Voie est une opération suicidaire et le moi, création irréelle de notre folie, ne veut pas mourir ! D'où la tension qui s'empare de l'esprit, déchiré à jamais, entre les revendications du moi et les aspirations que suscite une nouvelle vision de la Réalité.

Il y aura pendant quelque temps acquisition de mérite et l'on nous parlera de la transmission des mérites, mais l'esprit ne cherchera pas de récompense pour des actions louables ou des services rendus. En réalité, à un moment donné il n'y aura plus de moi auquel on pourra attribuer des mérites. C'est le chemin sur lequel on abandonne progressivement toutes ses possessions visibles et invisibles, son prestige et le désir qu'on en avait. Comme un Bikkhu l'écrivait récemment : « la vie du bouddhiste commence par le renoncement »; cela rappelle une formule de *Om*, de Talbot Mundy : « Le sacrifice n'existe pas ; il n'y a que l'occasion de servir. »

Pourquoi nous engageons-nous dans le Chemin ? Dans quel but et pour quel motif ? Est-ce pour réaliser notre propre progrès ou pour nous suicider, pour faire notre salut ou celui de l'humanité ? Il est écrit dans le *Tao Te Ching* : « le sage n'a pas de soi, il fait sien le soi des autres. » Et le Dr Suzuki dit : « Les Bouddhistes n'ont pas grand'chose à faire avec le Bouddha, mais beaucoup à faire avec leurs semblables. » Mais Eckhart, l'une des plus grandes figures de l'Occident, a poussé les choses encore plus loin : « Si quelqu'un est dans un état d'extase comme celui où fut une fois plongé saint Paul et si un malade désire un bol de soupe, il est bien préférable qu'il sorte de son extase et qu'il aille secourir celui qui souffre. »

Le motif est d'une suprême importance. Comme le Maître K. H. l'écrivait à A. P. Sinnett au sujet des conditions des novices dans les monastères du Tibet : « nous jugeons les hommes d'après leurs motifs et l'effet moral de leurs actions ; nous n'avons pas de respect pour les fausses valeurs du monde et les préjugés. »

Comme le disait un sage africain à un visiteur anglais à propos de l'idée qu'il se faisait de cet ancien Chemin : « la longueur de la route n'a que la longueur du pas » et il reste beaucoup de temps (le temps aussi est une illusion) pour accomplir ce voyage sans fin. D'après le très clair enseignement du Canon Pali de l'École Bouddhiste méridionale et la tradition du bouddhisme en général, le processus de réincarnation, la nouvelle existence, comme l'appelle le Bhikku Rahula, est analogue au travail-sommeil, travail-sommeil et re-travail s'applique à toute l'humanité. Le mot qui me paraît le meilleur pour décrire cet assemblage changeant de particularités qui va de vie en vie est le mot caractère, mais c'est le processus qui est important. Un Roshi japonais a dit : « Si votre désir n'est pas assez ardent pour vous entraîner à l'émancipation dans votre vie présente, vous y parviendrez dans votre prochaine vie, de même que vous avez terminé facilement aujourd'hui le travail que vous aviez laissé inachevé hier. »

Qu'est-ce donc que ce Soi, que le maître Rinzai, fondateur
de l'école du Zen Rinzai, appelle « l'homme ordinaire — celui
qui n'a pas de rang » ? Le Dr Suzuki dit que « c'est une sorte
de soi métaphysique, opposé au soi psychologique ou moral
qui appartient au monde de la relativité, et l'illumination
permet de voir le moi absolu reflété dans le moi relatif et opé-
rant en lui. » Thomas Merton fait écho à ces paroles : « Ce n'est
pas notre propre conscience qui saisit la lumière du Zen, mais
la conscience de l'Être qui pénètre en nous. » Ici, l'Être, pour
le bouddhisme, c'est l'esprit du Bouddha, le « non-né », le « non-
formé » que décrit le Canon Pali. Il existe une confusion entre
le Theravada et le Canon au sujet de l'existence du soi et le
Dr Suzuki a raison de dire que le refus des premiers bouddhistes
à admettre l'Atman, la conscience universelle, se rapporte au
moi relatif et non au moi absolu, la moi après l'expérience de
l'illumination.

Ainsi le pèlerin parcourt le long chemin qui mène à l'entrée
de la Voie finale, c'est l'ascension escarpée et abrupte du mont
Everest. Pour accomplir cette marche, nul besoin d'un atti-
rail dans notre vie quotidienne, ni autel ni rosaire, ni prière
rituelle. Les étapes sont au nombre de huit, mais cela est pure
convention et nous les traversons, en quelque sorte, toutes
les huit d'un seul coup. Il est difficile de rendre dans nos langues
les termes du Pali qui correspondent aux adjectifs « juste,
convenable », « approprié », « des vues justes, de bons motifs »,
l'action, le discours, l'attention qui conviennent, la contemplation de la réalité, ou Samadhi, qui est un état de concentration mais non encore d'éveil, c'est une contemplation bonne,
fructueuse.

I. — *Vues justes*. Elles comportent plusieurs versions, car
le Canon Pali approuve seulement les Quatre Nobles Vérités.
Néanmoins Hui-Neng dit que les Vues Justes sont de nature
transcendante et mauvaises celles qui se rattachent aux choses
du monde, et il ajoute : les Vues erronées nous maintiennent
dans l'ignorance et la souillure, tandis que les Vues Justes
nous libèrent. Cela reflète l'insistance du Zen sur la nécessité
de voir les choses telles qu'elles sont (tathata) dans leur nature
propre (suabhava), et pour les percevoir ainsi il faut l'œil de
Prajna, l'œil de la Sagesse grâce à laquelle le Bouddha voit
toutes choses « dans l'ordre où elles doivent être », dit le
Dr Suzuki. Ne nous étonnons pas que certains estiment que

les Vues Justes devraient se trouver à la fin du chemin plutôt qu'au commencement.

2. — *Mentalité appropriée.* C'est-à-dire le motif, la raison valable qui fait que l'on s'engage sur le Chemin et la qualité du motif a, nous l'avons vu, une importance capitale.

3-4-5. — Concernant Sila, la morale, ou, comme je préfère l'appeler : le comportement, véritable fondement du mode de vie bouddhiste, sur lequel doivent reposer l'étude, la méditation et le développement des forces. Sans quelques directions de conduite et une discipline imposée à soi-même, le caractère le mieux trempé risque de s'égarer : « Le soi doit être maître de soi ; quel autre maître pourrait-il avoir ? », remarque le Dhammapada et dès les premiers pas qu'on fait sur le chemin, l'esprit doit être éveillé à la sagesse et le cœur prêt à la compassion, car Sagesse et Compassion ne font qu'un. Le Bodhisattva, avec ses myriades de « moyens habiles » pour faire le bien, distingue sans tarder le bien du mal, bien qu'aucune définition ne se rapporte à l'un ni à l'autre. La règle pratique veut que tout ce qui tend à l'unité, à l'intégralité, soit bon, étant donné le point d'évolution où nous sommes, et mauvais tout ce qui tend à la diversité, à la séparation. Arnold Price fait allusion à cette tendance dans sa traduction du Sutra Diamant : « le mal est négatif et n'existe que dans la mesure où la Réalité est considérée sous son aspect de particularité variée. »

Mais tandis que la tête discute, le cœur sait et la vérité est simple. Lorsque j'étais enfant j'entendis souvent ce refrain d'Ella Wheeler Wilcox :

Fais la tâche qui se présente, même si elle est parfois ennuyeuse.
Si tu vois des chiens boiteux, aide-les à passer les clôtures.

Ces vers sont bien mauvais, mais ils expriment quelque chose qui est digne du Dhammapada. Si nous faisons le bien, cette action ennoblit notre esprit ; si nous agissons mal nous souffrons et la juste main du Karma nous montre notre erreur. Nous ne sommes pas punis pour nos péchés mais par eux.

Le non-attachement est la clef de notre choix entre le bien et le mal, car cette action ne nous lie pas. On a dit que nulle action ne nous liait, que seule nous liait notre attitude envers elle, la part de soi qu'on y mettait. L'acte parfait est en effet difficile car il implique une concordance harmonieuse entre les motifs, les moyens, le temps et le lieu, ainsi que l'indifférence aux résultats et ils sont vite oubliés. Il faut agir immédiatement, sur l'heure, car il n'y aura pas d'autre temps. « Seuls les sages et les enfants vivent absolument dans le présent. » Qui a dit cela ? un sage, certainement.

Pouvons-nous apprendre à « vivre la vie telle qu'elle vit elle-même », sans nous agiter, avec une vision des choses conforme à ce qu'elles sont vraiment et en les laissant évoluer ainsi sans intervenir ? S'il en est ainsi, nous pouvons nous permettre de nous consacrer entièrement à la tâche qui nous incombe. Nous verrons peut-être une vérité dans un aphorisme du *Tao Te Ching* : « Le sage n'essaie jamais de faire de grandes choses et ainsi il parvient à la grandeur. » Quelle que soit l'entreprise, nous ne pouvons faire que le pas suivant sur le chemin de la réalisation. Le résultat de notre action ne sera pas parfait, mais, comme le dit R. H. Blyth, « la perfection ne consiste pas en une action parfaite dans un monde parfait, mais en une action appropriée dans un monde imparfait. »

La vie quotidienne est donc l'école où nous apprenons à agir avec discernement. « Ceux qui veulent s'exercer spirituellement peuvent le faire chez eux. Il n'est pas nécessaire d'aller dans les monastères » ; cette remarque est de Hui-Neng, fondateur de l'école du Bouddhisme Zen !

Il en est de même en ce qui concerne la parole et les conditions de vie. Le discours est plus important qu'on ne le dit généralement, car le son a une influence en bien ou en mal. Ce n'est pas difficile à contrôler. Comme l'a dit saint Jacques, l'homme a dompté la plupart des choses mais « la langue, aucun homme ne peut la dompter ». L'idéal serait que toute parole fût à la fois vraie et secourable ; pour la plupart d'entre nous, c'est trop demander, mais cette double qualité est d'une valeur inestimable pour avancer sur le Chemin. La morale bouddhiste ne néglige pas l'importance des conditions de vie et celles-ci font partie de l'idéal des bouddhistes occidentaux. Nous saluons ceux qui, estimant que leur profession est incompatible avec leur idéal bouddhiste, abandonnent leur situation, en dépit des sacrifices que cela entraîne. Combien il est appréciable d'avoir acquis le droit de se consacrer au service de ceux qui vous entourent !

Sur le Chemin il arrive un moment où une force venue des profondeurs prend possession de vous, du moins dans les moments de grande tension. Une force impersonnelle, comme une loi vivante et intelligente. Dans un discours célèbre, Emerson parle de « ces lois qui s'appliquent d'elles-mêmes. Elles sont hors de l'espace et du temps, non assujetties aux circonstances. » Edwin Arnold en parle comme d'un pouvoir divin qui incite au bien et dont les lois sont les seules lois durables, mais qui n'a pas de nom. Qu'on l'appelle la Voix du Silence, la volonté de Dieu ou le bras du Non-Né, peu importe. Il existe et si nous nous effaçons devant lui il est omnipotent. Il ne reste plus que ce que le maître Takuan appelait « le déroulement des choses », une marche progressive, incessante et silencieuse. Car l'homme qui avance sur le Chemin y apporte ce qu'il a de meilleur et de pire, le regard de l'esprit et aussi ses bottes pleines de boue. Quand cet homme joue son rôle jusqu'au bout, dans chaque situation, « sans laisser de trace », comme disent les disciples du Zen, il sert d'exemple et finalement cet exemple a valeur d'enseignement. Car la puissance du Bouddha, à quoi tient-elle ? à avoir montré et prouvé que le Chemin existe et que tous les hommes peuvent le suivre et atteindre le même but élevé. Ainsi qu'un autre maître, venu ultérieurement, disait à ses disciples : « Que votre lumière brille sur tous les hommes afin qu'ils vous jugent à vos œuvres et qu'ils glorifient votre Père qui est dans les cieux. » Ou comme dirait le bouddhiste : « Donnez la preuve que l'esprit du Bouddha est en vous. » Dans *The Root and the Flower*, L. H. Myers met les paroles suivantes dans la bouche d'un vieil instituteur : « Nul ne peut mieux aider ses semblables que par la force de l'exemple et le spectacle de la parfaite sainteté », car cette sainteté-là est l'aspect extérieur de la Lumière intérieure, c'est-à-dire de l'Illumination.

6. — *Effort Utile*. Un des membres de notre association a déclaré qu'il fallait « condenser toute la vapeur pour franchir les dernières étapes ».

7-8. — Sur la Concentration et la Méditation, on a dit bien des choses et l'un des chapitres de ce livre sera consacré à ce sujet. Qu'il me suffise d'indiquer ici qu'avant d'utiliser un instrument, pour le bien ou pour le mal, il faut apprendre à s'en servir. Avant d'aborder cet exaltant domaine de la méditation, il faut être capable de concentrer son esprit à son gré et il faut aussi savoir quel sera l'objet de notre réflexion, nous-même ou quelque chose de plus noble. Les méthodes sont nombreuses, mais se ressemblent et toutes peuvent conduire à une expérience qui dépasse le monde de la dualité, c'est-à-dire au monde de l'Absolu que Bouddha appelait le Non-né. Quand nous parvenons à ce nouvel état de conscience, tout le monde s'accorde à dire qu'il est incommunicable, mais inoubliable. Et tout se passe dans l'esprit, le chemin, le pèlerin et le but. « Je suis la Voie, la Vérité et la Vie », dit Jésus, car rien n'*existe* en dehors de l'Esprit du Bouddha. Et le but ? Silence, un doigt en montre le chemin.

JOIE ET SOUFFRANCE

Lumière bleue du Soleil, douce aux yeux ensommeillés.
Une terrasse de bonheur, sans obligations ni contraintes.
A nos pieds murmure la mer de saphir,
Flux et reflux, image de nos jours.

Là, tout est joie, quiétude du cœur,
Libérés de la mémoire,
Chacun des sens savoure sa propre béatitude.

Et voilà que vient la souffrance, le cœur déchiré
Par tout ce qu'il entreprend. Tâches inachevées.
Vision inassouvie sous le ciel chargé de nuages,
Fardeau d'une conscience qui reste à conquérir.

Souffrance et joie — ces frères jumeaux séparés — sont-ils illusions ?
Car lorsqu'un homme de cœur
Arrive brusquement ici, sur cette terre,
Il ne trouve pas de différence entre les deux.

                     O Félicité sans limites,
Porter en soi un esprit illuminé de soleil
Par-delà les tristes plaisirs humains !

3

LE BOUDDHISME ENSEIGNE LA RÉINCARNATION

Les modes changent, les doctrines comme le reste, et le bouddhisme occidental ne fait pas exception. Il y a quarante ans, on se contentait du Karma et de la Réincarnation, puis l'Octuple Voie acquit de l'importance ainsi que l'éthique bouddhiste. Après la guerre les Nidanas devinrent le remède miracle à notre ignorance et la méditation remplaça la doctrine de la passivité qui consistait à rester assis en espérant que tout irait bien. Tout cela est exagéré, bien entendu, mais donne une idée de la tendance.

En outre, on a attaqué les doctrines, alors souvent peu populaires, et depuis quelques années la doctrine du Kharma, admise partout en Orient, est critiquée sous prétexte qu'une cause ne peut produire un seul effet — ce qui rendrait tout progrès impossible. Mais les bouddhistes n'ont jamais prétendu qu'une cause ne produisait qu'un seul effet. La doctrine actuelle, sous sa forme la plus courte, est la suivante : *Cela* étant donné, il en résulte *ceci*. *Ceci* cessant d'être, *cela* cesse aussi. Un million de causes vont produire *cela*, et *ceci* se produira. Mais *ceci* se produisant, un million de situations et de gens en seront affectés.

C'est une loi cosmique : quand l'harmonie de l'univers est rompue il faut y remédier. Mais si telle est la loi, l'effet doit être lié à la cause et par conséquent à l'auteur de la cause. En langage plus simple, celui qui a commis la faute paie. Celui qui paie est-il le même ou pas le même que celui qui a contracté la dette ? Et devant la mort du corps, alors que lui sont imputables des quantités de causes impayées, qui paie ? et où et quand ? La doctrine de la Réincarnation sur laquelle le Canon Pali insiste cent fois n'est-elle pas un corollaire nécessaire du

Karma ? Alors pourquoi des personnes qui se disent bouddhistes la rejettent-elles brusquement ?

Pourquoi ? je l'ignore mais je pense qu'il est important de s'en informer. Car, personnellement, je crois aux textes sacrés bouddhistes et la plus grande partie de l'humanité est avec moi. J'accepte entièrement la Bhagavad Gita (dans la traduction de Sir Edwin Arnold) :

> De même que lorsqu'on retire
> Ses vêtements usés
> Et qu'on en prend de nouveaux, en disant :
> « Porterai-je ceux-ci aujourd'hui ? »
> D'un geste léger l'Esprit
> Se débarrasse de son vêtement de chair
> Et s'en va séjourner
> Dans une nouvelle résidence...

Cela est d'un excellent bouddhiste, et Matthew Arnold écrit :

Nous retournerons à contrecœur
Dans ce lieu de calamité,
Ce lieu désagréable qu'est la vie humaine.
Nous subirons à nouveau la triste épreuve
De notre condition humaine
Pour voir si nous pourrons enfin trouver l'équilibre de notre existence,
Pour voir si nous pourrons enfin être fidèle
A notre moi, le seul vrai moi enfoui au fond de nous-même,
Grâce auquel nous ne faisons qu'un avec le monde entier...

C'est bien là, en effet, le but de notre existence. Et c'est aussi ce que Polonius dit à Laërte :

> Par dessus tout : sois loyal à toi-même,
> Et il s'ensuivra, comme la nuit succède au jour,
> Que tu ne pourras alors être déloyal envers personne.

On citerait des poètes indéfiniment, car les poètes ont le don du savoir. On réunirait un volume, prose ou poésie, sur la croyance au Karma et sur une certaine forme de réincarnation. Au cours de ces dernières années, deux livres ont paru qui ont leur place dans notre bibliothèque [1].

Peut-on croire à la réincarnation ? Pour un esprit sceptique,

---

1. *Reincarnation* de Head et Cranston. Julian Press, New York, 1961. *Reincarnation in World Thought* de Head et Cranston. Julian Press, New York, 1967.
Voir aussi : *Karma and Rebirth* de Christmas Humphreys. Murray, 1943.

il n'y a pas de preuves. Dans le domaine spirituel a-t-on jamais apporté des preuves ? Pourtant la raison et l'analogie plaident en sa faveur. Si la nature suit le rythme du travail et du repos, du jour et de la nuit, si les plantes naissent, se fanent et meurent, puis repoussent, pourquoi l'homme ferait-il exception ? Mais cette opinion ne fait pas autorité et il en est qui dans le Kalama Sutta cherchent l'autorité du Bouddha. Ils l'y trouveront s'ils la cherchent. Le Bouddha, qui est un hindou, a été nourri de la loi du Karma et de son corollaire, la Réincarnation. L'a-t-il jamais désavouée ? Le but du bouddhiste est d'être libéré de la réincarnation, de cette roue de la réincarnation qui roule perpétuellement et à laquelle nous retient notre désir tant qu'il est *ego*-iste. Et à un moment donné le Voyageur, comme l'appelle Mme Rhys Davids, entre dans le courant et il ne lui reste qu'une seule vie à revivre avant de parvenir à la prise de conscience, une fois que le désir personnel est mort.

Nos réincarnations antérieures sont-elles oubliées ? Non. Non seulement le Bouddha parle avec beaucoup de détails de ses existences antérieures, mais il est recommandé au disciple de se rappeler les siennes. Beaucoup d'entre nous le font et avec plus de détails que sur des événements qui datent de 30 ou 40 ans. Des analystes obtiennent de leurs patients des souvenirs d'origine prénatale et même de la mort qui a précédé leur réincarnation.

Pourquoi repousser une doctrine qui seule explique ce que rien d'autre n'explique ? Les « hasards » de classe, de sexe, de couleur et de l'environnement, du caractère, introversion et extraversion, des sympathies et des antipathies, des aptitudes et des inaptitudes. Peut-on attribuer ces hasards à l'hérédité et à l'environnement ? La naissance et l'éducation nous ont-elles faits ce que nous sommes ou avons-nous été amenés à notre famille et aux circonstances où nous avons reçu notre « nom et notre forme » par les affinités magnétiques d'une causalité passée ? Peut-on expliquer le cas des enfants prodiges autrement que par la doctrine de la réincarnation ? Plus d'une maladie d'origine karmique dont les causes se sont développées lentement apparaît aujourd'hui.

A ce manque d'intérêt qui se manifeste de nos jours pour l'une des doctrines les plus anciennes de l'humanité on doit pouvoir trouver des raisons. Pour ma part, j'en connais plusieurs. Certains étudiants disent : « je n'aime pas la théorie de la réincarnation, je n'ai pas envie de renaître. » Si je reçois un énorme grêlon sur la tête, je « n'aime pas cela » non plus, et n'approuve pas la loi de la pesanteur, mais je ne mets pas son existence en doute. D'autres se plaignent de ne pas comprendre comment elle fonctionne. Moi, je ne connais pas les principes de l'électricité, mais j'utilise avec satisfaction un rasoir électrique. Il y a ceux qui prétendent que toutes ces histoires de réincarnation font partie de la mythologie. Mais aujourd'hui on fait de la mythologie le berceau du génie racial. « C'est le dernier bastion de résistance du moi », répète-t-on souvent. Oui et il s'écoulera bien des vies avant que cette fâcheuse illusion disparaisse. Il existe une école moderne de compromis. La réincarnation, dit-elle, a lieu à tout moment du temps, elle est instantanée à chaque changement de circonstances. Fort bien, cela est du bouddhisme classique, mais il ne s'ensuit pas que l'individu ne soit qu'un produit d'impulsions karmiques et que chaque nouvelle « personne » apparaisse et disparaisse dans un soupir. Qu'arrive-t-il à cette impulsion karmique au dernier soupir de cette entité complexe ? Je dirai, avec les textes sacrés hindous, qu'elle se repose avant de retourner sur le Chemin où elle passera encore un million de « moments ».

Mais tout cela n'est que chicane de mots comparé à deux autres objections. La première, c'est que la réincarnation rend l'évasion impossible, or la plus grande partie de l'humanité cherche à s'évader, à échapper aux conséquences de ses absurdes causes. Mais les textes sacrés soulignent que cela est impossible. « Ni dans le Ciel, ni dans la mer, ni dans les grottes des montagnes, l'homme n'échappera à ses actions mauvaises », déclare le Dhammapada, ni même lorsque périra son corps. Poussé par son propre désir il reviendra et devra les affronter.

Si étrange que cela soit, l'objection majeure est ancienne et fondamentale. Elle tient à la discordance qui existe entre cette doctrine, clairement définie par le Bouddha, et une autre doctrine qu'il définit aussi mais qui fut incomprise dès le début et gravement déformée. Dans *The Vedantic Buddhism of the Bouddha*, J. G. Jennings écrit :

« Le Bouddha accepte la croyance à la transmigration dans la mesure où elle répond aux résultats sans fin de toutes les actions de l'individu, mais la théorie de la récompense et du châtiment personnels au cours des vies successives est en contradiction avec la doctrine du non-soi, ou de l'impermanence de la personnalité (*sabbe dhamma an-atta*) et avec l'altruisme qui est essentiellement individualiste. »

En d'autres termes, comme la réincarnation est incompatible avec la conception négative de l'anatta, le non-moi, le soi n'ayant pas de réalité, la réincarnation ainsi que la compassion sont à éliminer. Si le soi n'existe pas, que reste-t-il à réincarner au moment de la mort ?

Tout repose donc sur l'An-atta, le soi imaginaire qui construit la maison de l'illusion. « A présent je t'ai trouvé, s'écrie le Bouddha au moment de son illumination. Jamais plus tu ne bâtiras cette maison (du soi)... » Mais remarquons un vers précédent du Dhammapada, dans lequel apparaît ce fameux passage : « J'ai fait de longs détours pour découvrir celui qui a construit cette maison... » Cette longue quête du Bouddha sera longue ici pour nous, elle exigera plusieurs vies !

Quel fut l'enseignement du Bouddha au sujet du soi ? Le Bouddha avait été élevé dans l'hindouisme et connaissait par conséquent la notion de l'Atman, le soi réel qui ne fait qu'un avec param-Atman, la conscience universelle. « Quand Gautama commença de conseiller aux hommes de rechercher l'Atma et de vivre en prenant l'Atma comme refuge et comme lumière il se plaçait dans l'immanence religieuse courante et employait le vocabulaire qui y correspondait. » Aussi Mme Rhys Davids, qui a fait connaître le Pali dans les pays occidentaux, fait une liste des « dix choses que Gautama le Bouddha refusa d'enseigner, à savoir que l'homme, le moi, l'esprit, l'âme, purusa, n'est pas vrai ». Pour elle, qui a passé sa vie à étudier le bouddhisme du Theravada, le Bouddha s'intéressait surtout au Voyageur et au Chemin qu'il effectuait. « Comment aller de ceci à cela ? tel était le problème de la vie ». Et c'était un très long voyage. Mme Rhys Davids va plus loin encore. Elle écrit dans *Indian Religion and Survival* que « le bouddhisme primitif apporte à l'Inde une doctrine de la réincarnation mieux définie qu'aucune autre religion antérieure ou postérieure. »

Dans le Canon Pali, le Bouddha refuse à la fois de défendre et de nier l'existence d'un Soi parce que d'une part il ne voulait pas être mêlé aux autres écoles de son temps, d'autre part parce que « cette polémique ne favorisait pas la paix de l'esprit, le Nirvana ». Il souhaitait que ses disciples concentrent leurs efforts sur le long cheminement à travers leurs vies successives, qui leur permettrait, en s'initiant eux-mêmes, de secouer leurs chaînes, de corriger leurs erreurs, de laisser mourir les trois feux et ainsi de se libérer de l'illusion.

Donc, si le Bouddha enseigna l'Atta, comme l'avaient fait ses brillants prédécesseurs, dans le domaine de la pensée indienne, parla-t-il du Non-Moi An-Atta ? Il est catégorique à ce sujet.

Il s'agit des cinq skandas qui constituent la personnalité dans laquelle il n'y a pas de moi permanent. Le reste est silence, car du « Non-Né », dont Atta n'est qu'un reflet, on ne peut rien dire d'utile.

Existe-t-il deux espèces de « moi » dans le canon Pali ? Miss Horner, élève de Mme Rhys Davids, actuellement présidente de la Société des Textes Pali, l'affirme. Dans un article célèbre republié dans *The Middle* (*Way* 27, p. 76), elle cite 17 passages du Canon Pali qui corroborent cette thèse des deux « moi ». Le « petit moi » et le « grand moi » sont nettement distincts et le « grand moi » est considéré comme « un habitant de l'immensurable ». Mais le Dhammapada, le plus célèbre des textes du Canon, est d'ailleurs suffisant pour nous éclairer. « Le soi est le maître du soi, et le soi est le but du soi, c'est-à-dire le but de toute recherche. » Si l'on veut rapprocher l'enseignement bouddhiste de l'enseignement primitif hindou on trouve : « Le Soi qui est en toi sait ce qui est vrai et ce qui est faux ». Tout mystique est d'accord là-dessus depuis le commencement du monde.

Considérons une fois de plus la doctrine de l'An-atta, *telle que l'enseigna le Bouddha*. Elle montre qu'il n'y a pas d'entité immuable dans *aucune des skandas*. Ce principe ainsi posé, il n'y a pas contradiction avec la doctrine de la réincarnation. Mais les moines éprouvèrent le besoin d'attaquer le concept de l'Atman qu'ils estimaient corrompu et réduit à rien dans le cœur humain, à l'époque du Bouddha, et ils allèrent trop loin. « Il n'y a pas de Soi, pas de Soi », s'écriaient-ils et ils furent responsables de la doctrine étroite et triste qui a cours aujourd'hui. Je préfère partager l'opinion de Mme Rhys Davids qui pense que le Bouddha s'attachait surtout au Chemin et au pèlerin qui doit s'initier lui-même, être toujours « attentif et maître de lui, pour lutter vigoureusement » ; tels furent les mots prononcés par le Bouddha en mourant. De tels hommes progressent sans cesse jusqu'au moment où, pleinement conscients de l'Immutabilité, ils sont libérés de leur assujettissement à la Roue de la Réincarnation.

Cela demande du temps, beaucoup plus qu'une vie comme l'accorde la doctrine chrétienne. S'appuyant sur les enseignements de son maître spirituel (le Gourou), le Bouddha parla de « l'évolution et de l'involution des éons » qui, dans la tradition ésotérique orientale, telle que le définit *The Secret Doctrine* de Blavatsky, est appelée expiration et inspiration du Parabrahman, l'Absolu, qui pour le Bouddha avait nom de

Non-né. Ce n'est que par la réincarnation que le Soi-Non-Soi qui évolue peut passer de l'ignorance (Avidya) à Prajna, la Sagesse transcendante.

Qu'est-ce donc alors qui renaît ? Qu'il me soit permis de faire les remarques suivantes. D'abord, pour nous qui sommes engagés sur le Chemin qu'il faut franchir pas à pas, cette question n'a pas grande importance à présent. Si je vous dis que c'est « une discrète impulsion karmique » ininterrompue ou que c'est un rayon de la Lumière du Non-né, cela vous fera-t-il de l'effet ?

Mais nous savons du moins que ce ne sont pas les skandhas [1]. La fameuse analogie du char de Nagasena s'applique ici. Il ne s'agit pas d'une « âme immortelle » puisqu'elle n'est pas immuable. Elle ne se distingue pas en permanence de vous et de moi. Ce n'est pas l'esprit de saint Paul, la lumière qui brille dans toute forme ou agrégat de formes. Ce n'est pas non plus le « corps », au sens de la personnalité. Est-ce « l'âme » ? Est-ce là le terme qui convient pour désigner le pèlerin qui est sur le Chemin, qui s'initie sans cesse jusqu'au moment où, laissant s'éteindre les trois feux, se libérant de ses entraves, il « entre dans le courant ».

C'est un mélange extrêmement complexe de qualités en perpétuelle tension entre les contraires, entre l'animal et le dieu, qui luttent chacun pour avoir le dessus. E. J. Thomas, dans *The Life of Buddha*, y voit un « fatras de skandhas. On peut dire que ce fatras de skandhas se renouvelle d'instant en instant, de renaissance en renaissance et qu'il reste, ce fatras, changeant jusqu'au moment où il se disperse quand disparaît le désir. » Et E. J. Thomas poursuit, dans un ouvrage ultérieur, *The History of Buddhist Thought* : « mais jusqu'à ce que cela arrive l'individu est un être qui a un passé bien défini dont il peut garder la mémoire, s'il s'y exerce convenablement ». C'est ce que Ananda Coomaraswamy nomme le caractère, appellation que je préfère, car le caractère n'est-il pas un agrégat compliqué, constamment changeant, de qualités opposées qui, toutes comme l'indique le premier vers du Dhammapada, sont le produit de l'esprit ? Avec des efforts, le caractère progresse car il ne se cantonne pas aux skandhas. « Mais l'effort, c'est toi qui dois le faire. Les Bouddhas ne font que montrer le chemin. »

---

1. Les cinq éléments qui sont conditions et causes de l'existence formant un être ou une entité. Ils sont inhérents à toute forme de vie (N.d.T.).

Ma thèse est donc la suivante : le Bouddha enseigne la réincarnation d'un agrégat complexe qui s'instruit de vie en vie, sur la longue route de l'illumination. Ce n'est que la personnalité, le moi ou le soi, renfermant « l'ombre » dont parle Jung. Cet agrégat est soumis au changement (anicca), à la souffrance qu'il se crée à lui-même (dukkha) et il est *anatta* (le non-moi) parce qu'il n'a pas de soi immuable et éternel qui lui appartienne en propre. La doctrine bouddhiste de l'Anatta (du non-moi), différente de la version qu'on en donne aujourd'hui, n'est pas un obstacle à la doctrine de la réincarnation enseignée par le Bouddha.

Pour le Bouddha il y avait deux *soi*, l'Atta et le Non-Atta (le Soi est le maître du soi) et les deux sont, comme tout le reste, des manifestations « du Non-né, de l'In-formé », c'est-à-dire du Parabrahman de l'hindouisme, de l'Esprit de saint Paul. Le Voyageur, la « psyché » de saint Paul, sujet des psychologues, obéit aux lois de la nature, comme tout le reste. Tout ce qui vit, et rien ne meurt, obéit au rythme du travail-repos de l'expérience extravertie et de l'assimilation introvertie que nous en faisons. Et cela n'est que le reflet du phénomène de l'expiration et de l'inspiration de l'univers. L'homme serait-il la seule exception à la loi de la nature ? »

Sur ce point j'appartiens au Mahayana, qui ne s'est jamais laissé troubler par cette controverse au sujet de la réincarnation et de la doctrine du Non-moi (Anatta). Je plains mes amis du Theravada qui murmurent vainement : « Pas de soi, pas de soi ». Je préfère la liberté et la joie du processus universel, son unité vivante qui découle du Non-né. Je sais que le Soi *existe*, et que toute chose participe à l'essence véritable du Soi et je sais que le Soi, « essence de l'Esprit », comme l'appelait Hui-Neng, c'est le Bouddha au fond de nous-mêmes, même si mes skandhas, obscurcies par l'illusion, ne savent pas encore sciemment qu'elles sont le Soi — « le Soi n'est pas encore en moi ! » Que le Bhikku s'écrie : il n'y a pas de Soi du tout ; moi je sais à quoi m'en tenir ! »

NOUS VIVONS DANS LES ANIMAUX

Vieux ou jeune, le corps est animal.
D'un regard interrogateur
Celui qui occupe cette forme terrestre
Constate, inquiet et soupçonneux,
Qu'un million d'animaux
Servent d'habitat à la race humaine.
Né bestial, vêtu de peaux d'emprunt,
Parvenu, après de longs efforts, à la station verticale,
L'homme est toujours assujetti à des habitudes animales.

Par quelle intuition d'une obscure immanence
Découvre-t-il le Dieu vivant qui est en lui,
L'Esprit de Bouddha qui s'est fait chair pour prouver sa divinité ?

Esclave d'un animal selon le dessein de la Nature,
L'homme souffre dans les chaînes du plaisir et de la peine.
Puis survient la Vision, un désir de délivrance,
Brefs moments hors du temps dont on ignore encore la provenance.
Et à présent ? Cherches-tu le bonheur
Ou pars-tu, tête baissée, retrouver Dieu ?

APPROCHE DU BOUDHISME ZEN

4

AU-DELÀ DES CONTRAIRES

Peu nombreux sont ceux qui se rendent compte de la double nature du monde dans lequel nous vivons et devrons vivre jusqu'à la fin des temps. D'après tout ce que nous pouvons savoir de l'esprit et de la matière, c'est un monde de dualité auquel la personnalité d'aucun homme ne peut échapper. Ce n'est qu'après des vies d'efforts qu'on parvient à une prise de conscience qui nous libère de la dualité, une non-dualité que le patriarche Hui-Neng appelait « l'essence de l'esprit pur ». « Toutes les distinctions sont des imaginations fausses », expliquait ce grand homme, qu'il s'agisse du sujet-objet, de positif-négatif, ou de l'illusion de croire qu'il y a une différence entre le Nirvana et la vie de tous les jours.

Il est sage d'aborder l'étude des contraires au stade où ils n'existaient pas encore. Cela appartient au domaine de la métaphysique, dont la physique est la contrepartie matérielle. Commençons par ce que le Bouddha appelait le Non-né et que les Hindous appelaient CELA, car aucune épithète ne peut lui être attribuée. CELA est à l'origine de tout ce que nous savons, de tout ce que nous pouvons savoir. D'abord l'Un mais l'Un n'est pas, en dépit des aspirations de millions d'âmes religieuses, une explication finale. Comme le fit observer un maître du Zen à un élève qui se réfugiait dans cette idée réconfortante : « Et si toutes les choses se réduisaient au principe de l'Un, à quoi celui-ci se réduirait-il ? » Combien il avait raison car en tant que concept l'Un peut être accouplé à la multiplicité et voici encore un couple de contraires. L'Un s'est divisé en deux. D'après le Tao Te Ching, « A partir de la non-existence éternelle, nous observons sereinement les mystérieux débuts de l'univers. De l'existence éternelle nous voyons clairement les distinctions apparentes. Elles ont les unes et les autres la même origine et sont différentes dans leurs manifestations. »

Pourquoi cette division ? Le Dr Suzuki répond : « Cette bifurcation entre sujet et objet est nécessaire pour nous faire prendre conscience. » Sans cela, la conscience n'est qu'inconscience. Nul ne peut être conscient sans la présence de ce qui est « autre ». Pour se connaître, le sujet doit voir l'objet. Nous ne connaissons que ce que nous ne sommes pas. D'où le fameux exemple de la logique Zen : pour connaître A il faut voir ce qui est différent de A.

Mais Deux est un concept impossible à utiliser. Comme le dit Platon, c'est un concept qui n'a pas de sens. Quand on parle de deux choses, il faut que celles-ci aient des rapports entre elles et cela fait trois. Et, disposant de trois choses et de leurs dérivés, on atteint les « dix mille choses » de la philosophie chinoise. Le Tao Te Ching décrit parfaitement ce processus. « Tao engendra Un ; Un engendra Deux ; Trois engendre toutes choses. Toutes les choses sont adossées à l'ombre (Yin) et éclairées devant par la lumière (Yang) et elles s'harmonisent dans le souffle immatériel (Ch'i). Sri Krishna Prem, écrivain anglais considéré comme l'un des saints hommes de l'Inde moderne, écrit dans *Man, the Measure of All Things*, qui est un commentaire des Stances de Dzyan et que Blavatsky prit pour base de *The Secret Doctrine* :

« Le domaine de l'extériorité manifeste dans lequel nous vivons, évoluons, et dans lequel baigne notre existence, n'est ni purement subjectif, ni purement objectif, mais c'est un mélange des deux... Ce rapport réel est un échange vibrant entre les pôles de l'être, le mouvement qui tisse la « trame de l'univers ». Les forces qui produisent l'afflux et l'écoulement (*pravitti* et *nivritti*) soutiennent simultanément cette trame fluctuante. Au fond du cœur cosmique, l'attention tombe d'abord sur l'un des deux modes et l'univers est créé ; puis sur l'autre mode et cet univers disparaît. Au fond du cœur de l'homme une semblable impulsion se tourne vers l'extérieur et nous nous éveillons, puis elle se tourne à l'intérieur et nous nous endormons » (1re édit., pp. 339-340).

Examinons plus attentivement ces contraires et le rapport qu'ils ont entre eux, car si étrange que cela paraisse, le fait de bien les comprendre peut avoir une grande importance à tout moment de la journée. L'Absolu s'exhale et devient l'Un-sans-un-deuxième. Cela divise et on s'imagine trop facilement que les parties sont posées côte à côte comme les morceaux d'une pomme coupée en deux. Mais il serait plus exact de considérer chaque partenaire de chaque couple comme étant expulsé par l'autre. De l'Absolu, par exemple, est né le relatif. Du vide, toute forme ; de l'obscurité est née la lumière, comme le dit l'Écriture. De l'esprit, la matière.

Cette disposition « verticale » aide à comprendre la Trinité utilisée à toute heure du jour, sous des milliers de formes. Car nous ne pouvons poursuivre nos recherches sans en venir à la question que, dans *Concentration and Meditation*, j'appelle le Troisième Terme Supérieur. Nous parlons à la légère de vérité et de mensonge, de beauté et de laideur, du bien et du mal. Mais le sommet d'un triangle surmonte chacun de ces couples, c'est un point de la conscience qui résout ses couples au niveau de la vérité, de la Beauté et du Bien. Ce troisième ordre, cet ordre supérieur, fait une synthèse complète de ses deux corrélatifs. Le triangle le plus bas est sur le terrain de la manifestation, le plus élevé nous fait atteindre l'unité et la multiplicité. Au-dessus, se trouve l'Un unique. Et au-delà ? CELA, probablement.

Quelle est la valeur pratique de tout cela ? C'est de nous permettre d'échapper à la tyrannie des contraires, de nous fournir une issue à ce que serait le cycle de la vie dans un univers déchiré par de perpétuelles tensions où nous serions condamnés à suivre un chemin stérile de perpétuel compromis.

Nous admettons donc qu'il existe pour chaque couple de contraires un Troisième Terme Supérieur, nous avons une échelle de triangles qui s'étend de la matière la plus basse jusqu'à l'Esprit même, et rien ne s'oppose à notre escalade, sauf les chaînes rivées à nos pieds par notre propre absurdité, la pensée séparatrice.

Regardons notre absurdité en face. Comme le dit Huang Po, « Tous les Bouddhas et tous les êtres sensibles ne sont autres que l'Esprit et rien d'autre n'existe. » Mais nous, dans notre aberration, faisant un mauvais usage du magnifique instrument de la pensée, nous divisons en deux la réalité. Elle est double, en effet, mais elle reste une. La pensée orientale est avertie de cette tendance et de la confusion et de la souffrance qu'entraîne cette habitude. « L'esprit tue la réalité », dit *The Voice of the Silence*. « Il faut que le disciple tue le meurtrier ». Il est vrai que du point de vue de l'au-delà de la pensée, l'esprit et la matière ne sont que les aspects de la même Non-dualité, mais les esprits bas reflètent désastreusement leur parent supérieur. Une chose est de regarder le divin processus de division sans diviser, autre chose de séparer en deux ce qui est un et de perdre de vue l'unité qui existe. La pensée dépourvue d'intuition découpe tous les objets en milliers de morceaux. L'intuition qui utilise l'intelligence pour analyser, voit sans sourciller la Non-dualité dont les parties séparées n'ont jamais cessé d'être une. Privée de la lumière des Bouddhas, c'est-à-dire de la lumière intérieure, l'esprit tombe dans « la grande et néfaste hérésie de la séparation qui te détourne du reste »... dit *The Voice of the Silence* ; Attavada, cette croyance hérétique en une âme immortelle séparée. Nous sommes ici dans la vraie doctrine de l'Anatta, ou du Non-moi : il n'y a pas dans l'homme de faculté ou de principe immuable qui ne soit en réalité une partie entière du Non-né fondamental.

Tant que l'étudiant restera plongé dans cette illusion du soi, il cherchera en vain la non-dualité qui est la « propre identité », comme l'appelle le Dr Suzuki dans de nombreux ouvrages, de l'au-delà qui existe ici-bas. « Le Zen n'est pas seulement pensée, il est aussi non-pensée. Il fait une discrimination entre les choses et en même temps il possède en lui-même la faculté de transcender toute discrimination » (*Living by Zen*, p. 150). La première de ces opérations est la fonction de l'intelligence ; la seconde est cette « perception-sans-intermédiaire » qu'on appelle l'intuition.

Considérons donc encore une fois les contraires comme une fausse réalité qu'il faut utiliser puis transcender. Nous ressentons chaque fois la tension qui existe entre eux dans toute pensée et dans toute action. Les couples les plus élevés, les couples métaphysiques semblent échapper à notre compréhension, mais leurs aspects les plus bas, reflétés sur le plan de la manifestation, nous apparaissent soit comme les contraires complémentaires de l'un de ceux auxquels nous sommes plus ou moins attachés à ce moment là, soit comme une irritante opposition à la volonté de notre moi dont la source, tel un parti adverse en politique ou une religion rivale, doit être abolie.

Humain et divin, mâle et femelle, action et réaction, sont des clichés. En philosophie on nous parle du sujet et de l'objet, d'affirmation et de négation, de cause et d'effet. En psychologie, du conscient et de l'inconscient, de l'introversion et de l'extraversion, du raisonnement et de l'intuition. Dans toute religion on trouve la notion d'un salut opéré par soi-même — *jiriki* — et d'un salut obtenu grâce à un « autre » pouvoir, *tariki*. Dans le bouddhisme, en particulier, l'idéal complémentaire de l'Arhat et du Bodhisattva du Prajna-Karuna, du Soi et du Non-Soi, si mal interprété par ceux qui soutiennent qu'il n'y a pas de soi, même dans le domaine du devenir Samsara. Dans le rythme alternatif de la nature nous avons le cycle de la croissance et du déclin, du jour et de la nuit, du travail et du repos et partout le conflit entre la partie et le tout, l'individu et l'État et le problème troublant du bien et du mal. Cette liste est sans fin et il nous faut attendre quelque temps avant de découvrir le couple final qui fait chanceler l'esprit et qui est l'essence même de la non-dualité.

A l'égard de ces contraires nous pouvons énoncer quatre propositions qui ne forment pas un dogme, mais qui s'appuient sur des faits que tous ceux qui examinent la vie peuvent constater.

D'abord chaque élément du couple existe en raison de l'autre, comme contraires complémentaires, positif et négatif, ou comme attribut de comparaison, grand et petit. Si nous comprenons cette évidence, elle nous aidera à sortir de la position fausse dans laquelle nous sommes.

Il s'ensuit que chaque contraire est partiel, incomplet et que l'on a besoin de l'un et de l'autre pour exprimer même très imparfaitement la vérité. Par conséquent les religions et les philosophies admettent une vérité relative et une vérité absolue, celle-là appartenant au domaine intellectuel, au domaine des « preuves », celle-ci demeurant à jamais au-delà de la conscience qui n'a pas atteint son propre niveau, celui de la Nonpensée. Même dans le champ de la compréhension relative, ce nouveau regard sur les contraires détruira tout dogmatisme. Comment peut-on accorder foi à aucun jugement quand le contraire appelle l'attention sur un droit égal à être entendu ? Et les contraires du « bien » et du « mal » ne sont-ils pas dès lors suspects ? En tout cas ils sont relatifs l'un à l'autre.

Deuxièmement, il n'est pas nécessaire d'avoir un sens profond du mysticisme pour voir que chaque contraire est, à un certain égard, l'autre. Nous en voyons les deux faces aussi clairement que l'avers et l'envers d'une pièce de monnaie. Troisièmement, chacun a *besoin* de l'autre pour être complet. Cela est important dans le domaine de la psychologie. Nous rendons-nous compte que nous avons besoin de ce que nous détestons, de ces aspects du soi que nous reléguons dans l'inconscient, sous prétexte qu'ils sont indignes du masque que nous présentons au monde ?

Comme quatrième proposition, on invoquera que la tension inhérente à la dualité — entre l'attraction et la répulsion qui s'exerce sur les gens, les situations et les choses — est, soit acceptée comme la force motrice de la croissance et du développement, soit considérée comme une source de souffrance par ceux qui ne la voient pas sous ce jour. Celui qui se sent ballotté par la lutte des contraires souffrira d'avoir à résister.

Mais celui qui aperçoit et utilise le courant de cette force pour son propre progrès et pour l'amélioration du monde ne souffrira pas de ce fait. Tel un marin qui utilise le vent et la marée pour se diriger dans le port de son choix, tel un marchand qui modifie ses plans selon l'occasion qui se présente et attend le moment propice, le sage, sans se plaindre des circonstances, avance au rythme de la force naturelle pour atteindre son but.

Mais les extrêmes de la tension cosmique sont sévèrement ressentis par l'esprit. D'une part, la force vitale, qui afflue du Non-né dans toute forme, toute chose et tout événement, tire parti de tout à son profit ; d'autre part, le soi-moi, le non-Atman [1] ou An-atta, aveuglé par l'illusion d'une existence séparée et sourd à la voix intérieure du Bouddha, lutte pour le soi et sa volonté est aux prises avec celle de l'univers, il est rempli des souffrances qui résultent de ses désirs purement personnels.

Nous pouvons maintenant nous poser deux questions. Dans tous les cas où l'un des contraires domine la pensée, pouvons-nous voir et exprimer l'autre point de vue ? Je fus très impressionné d'apprendre qu'il existait une société où dans une discussion l'orateur n'avait pas le droit de défendre une des opinions d'une motion débattue avant d'avoir assuré le comité qu'il parlerait brièvement mais sincèrement du point de vue opposé. Combien il serait souhaitable qu'on observe cette règle au Parlement ou même à la Société bouddhiste ! Les adeptes du Theravada pourraient-ils alors discuter des mérites du Zen ? Et inversement...

Deuxième question : devons-nous être réellement tolérant envers « l'autre », cet idiot qui s'entête à aller tout droit en enfer avec ses idées affreuses et dangereuses ? Probablement pas, mais je me souviens d'une définition de la tolérance donnée par Annie Besant il y a près de cinquante ans : « c'est une acceptation empressée et joyeuse du chemin sur lequel notre frère cherche la vérité. » Oui, nous *devons* le laisser libre de s'orienter comme il le veut et nos remontrances ne lui apprendraient rien. Troisième question : pouvons-nous choisir et utiliser les contraires sans être tenus par notre choix ? Car, bien entendu, nous choisissons, et mille fois par jour, ne fût-ce qu'entre deux itinéraires pour aller à la gare. Mais sommes-nous l'esclave du choix que nous avons fait dans chacune de nos habitudes quotidiennes ? Pouvons-nous changer à notre

_____

1. Atman, la conscience universelle (N.d.T.).

gré ? Je ne le crois pas, car notre conditionnement mental est profond et détermine notre réaction devant les événements, d'une manière qu'un observateur attentif pourrait prédire avec une exactitude vexante. Nous sommes conditionnés par notre naissance, notre sexe, notre religion, notre éducation, notre environnement, notre métier et notre famille. Par nos choix politiques, notre ambition et nos loisirs. Par le type d'hommes auquel nous appartenons, la couleur de notre peau, par notre âge, notre santé et nos expériences spirituelles. Combien il est alors difficile de laisser l' « esprit suspendu », sans s'arrêter nulle part, comme le conseillent les sages de l'Orient. Nous luttons pour poursuivre notre chemin, chargés d'un fardeau d'idées que nous créons et qui est d'autant plus pesant que nous le méconnaissons. La plupart d'entre nous augmentent de jour en jour le poids de ce fardeau.

Mais la tension dans laquelle nous vivons est inévitable et « juste ». Dans la mesure où cette forme de souffrance est créée par nous, en partie par notre futile recherche de ce qu'il nous plaît d'appeler le bonheur. Mais le bonheur n'est pas seulement un idéal impossible, c'est un idéal indigne. Celui qui est heureux pour le moment, c'est-à-dire celui qui ne souffre ni dans son esprit, ni dans son cœur, ni dans son corps, qui est aveuglé par les apparences du soi, oublie « le vaste océan de souffrances causé par les larmes des hommes ». « Le bonheur peut-il exister quand tout ce qui vit est condamné à souffrir ? Comment serais-tu épargné quand tu entends gémir le monde entier ? » On pourrait modifier cette fameuse question de la *Voix du Silence* et dire : Comment serais-tu épargné en restant sourd aux gémissements du monde entier ?

En réalité, on ne peut échapper à la tension des contraires, qu'il s'agisse de plaisir, d'argent ou de maladie, de suicide ou de mort. Mais ce que tout homme peut faire et ce à quoi l'invite cette approche du Zen pour le plus grand bien de l'humanité, c'est à prendre conscience que cette tension existe et qu'elle peut être utilement employée ; mais alors la souffrance a disparu, avec le soi, de ce monde étroit où elle exerçait son empire.

Comment trouverons-nous une disposition d'esprit capable d'englober, d'assimiler et d'utiliser les deux contraires de chaque couple ?

Bien sûr, on peut faire des suggestions. Nous pouvons écourter notre démarche sur la voie moyenne, ce centre mouvant entre les extrêmes. Ainsi que je l'ai fait observer il y a longtemps, l'homme marche sur ses deux jambes, en trébuchant de chaque côté de la ligne médiane, appuyant de tout son poids sur un pied puis sur l'autre. Pouvons-nous réduire la largeur du chemin et marcher plus droit, pour éviter la traction des forces divisées du couple ? Le même principe peut s'appliquer à l'esprit qui cherche. Lorsque nous éprouvons des sentiments d'équanimité et de sérénité, nous refusons d'être entraînés à des opinions excessives, sympathie ou antipathie.

Nous pouvons exercer notre conscience à voir les couples, non seulement dans la théorie métaphysique, mais dans la vie quotidienne, en tant que formes de la Force vitale *avant* la bifurcation, avant la scission de la dualité. Si nous voyons les deux côtés de la pièce, peu nous importera de savoir où est la face et où est l'envers.

Nous apprenons à voir que toutes choses étant issues du Non-né, sont non seulement apparentées mais dépendantes les unes des autres. « Nous sommes véritablement membres les uns des autres », enserrés dans une étreinte qui, sous l'empire du Karma, change à tout instant et progresse par une série de « jours » laborieux qui sont les unités de la réincarnation.

Nous avons donc maintenant devant nous l'au-delà de la dualité, non comme un idéal éloigné, enveloppé de brouillard, mais avec une compréhension un peu plus avancée. Mettant en œuvre toutes les ressources de notre intelligence, nous nous acheminons vers le Non-né. Mais où donc se trouve le pont entre la pensée et la Non-pensée, entre la dualité et la Non-dualité ? En réalité il n'y en a pas et il ne peut y en avoir. L'absolu *est*, nous qui sommes dans le relatif ne pouvons y entrer, ni y ajouter ni en retirer quoi que ce soit. Pourtant, nous en faisons partie, nous *sommes* l'Absolu. Il est en même temps immanent et transcendant ; autrement comment pourrions-nous savoir cela que nous n'avons jamais cessé d'être ?

Où est ce pont ? Les mystiques en ont vu l'autre bout si l'on peut dire et ont décrit ce qu'ils avaient vu. Les savants, eux aussi, s'en approchent aujourd'hui et sortent du domaine de la matière pour s'apercevoir que celle-ci n'existe pas. L'énergie, peut-être, ou simplement les événements, rien de plus. Le fossé se ferme. « L'absolu et les phénomènes ne sont jamais sur le même plan, explique le professeur Murti, on ne peut ni les relier, ni les comparer, ni les contraster. » Mais il est plus encourageant à la page suivante : « L'Absolu est la réalité de ce qui est apparent. Inversement, les phénomènes sont la forme voilée, ou la fausse apparence de l'Absolu. » Dans le numéro de novembre 1969 de *The Middle Way*, j'ai décrit ce que j'appelle la « Pensée Illuminée ». La pensée, plongée dans une étude profonde où l'intuition se donne libre cours, s'éveille à l'esprit du Bouddha et soudain nous apercevons le monde où tout est encore dualité mais où les couples ont les aspects jumeaux d'une réalité inséparable. Là et là seulement est la solution du problème, nous n'avons pas besoin de pont. Ainsi que l'a écrit Nagarjuna, l'un des esprits les plus remarquables de l'histoire du bouddhisme : « Il n'y a aucune différence entre le Nirvana et le Samsara, la limite du Nirvana est aussi la limite du monde. Nous ne trouvons pas la moindre différence entre les deux. » Dans *Buddhist Wisdom Books* (p. 83), le Dr Conze insiste sur la même idée. Il semble incroyable que l'au-delà soit identique à son contraire, et pourtant c'est bien ce que souligne le message du Sutra du Cœur. « L'infiniment loin n'est pas seulement proche, mais il est infiniment proche. Il n'est nulle part, mais il n'est aucun lieu où il ne soit pas. C'est l'identité mystique des contraires... »

Que peut-on ajouter ? Les contraires existent et existeront tout au long de la durée de notre conscience. Mais faisant usage de cette conscience, par notre intelligence, puis ensuite grâce à une pleine connaissance de l'intuition-Prajna, c'est-à-dire de la sagesse transcendantale, nous pouvons apprendre à vivre dans le monde de la dualité sans jamais cesser de voir que chaque couple est un, que toutes les distinctions sont des « imaginations fausses », que, comme le dit le Dr Suzuki, « rien n'est infini en dehors du fini ». Une nouvelle vie se dégage. Quelle exaltation spirituelle pour les jours à venir ! Je terminerai par les paroles immortelles du troisième patriarche dans son poème « Sur l'espérance dans le Cœur » :

> Dans ces royaumes élevés
> Il n'y a ni soi ni autre.
> Quand nous recherchons une identification directe,
> Nous ne pouvons que dire : deux n'existe pas.

ÉTRANGE DÉCOUVERTE

Je m'émeus pour des vétilles, m'inquiète vainement
De la rumeur mensongère des bagarres du monde ;
Avec fièvre je fais des projets sans importance,
La plus minime perturbation de ma journée me tracasse.
Je veux qu'on m'apprécie. J'exige
Que ma volonté ne rencontre pas d'obstacles. Je me développe
Aux dépens des autres. Je grimpe et j'atteins
Les sommets où m'assaille une souffrance que j'ai créée moi-même.
Quand la vérité m'est nuisible je mens ;
Pourquoi serais-je bon si cela ne me rapporte rien ?...

Ce tableau affreux porte deux noms, le premier c'est moi,
Le second, moins bien connu, est l'Esprit du Bouddha.

SI LA VIE EST UNE

Toutes les religions et toutes les philosophies établissent des doctrines, qui à l'usage tombent en désuétude et deviennent des monnaies inusitées qui perdent la valeur de l'expérience qu'elles ont eue au moment de leur apparition. Néanmoins, si nous nous élevons, si nous atteignons directement le cœur de cette expérience, nous trouverons au-delà des mots qui renferment les idées, des forces importantes, des principes cosmiques dynamiques qui font éclater comme un coup de tonnerre les idées anciennes et libéreront les forces d'intuition et de perception innées et hausseront l'individu à un niveau d'existence inconnu jusque-là. Pour parvenir à un tel état d'esprit, il faut en payer le prix, c'est-à-dire assimiler délibérément, lentement, le principe reconnu comme tel, l'étudier constamment et l'appliquer aux circonstances du moment.

Ici il y a deux choses différentes, des banalités usées et des éléments de l'esprit dont le pouvoir n'est limité que par le conditionnement de celui-ci et par l'opposition du moi, qui sait que de telles vérités lui sont contraires et l'anéantiront.

Ce principe est le suivant : « La Vie est Une », ce qui veut dire que la Force vitale universelle qui opère sur tous les plans et anime tous les corps est une et indivisible.

Il faut aborder cette proposition de deux points de vue différents : Premièrement, est-elle vraie ? Deuxièmement, si elle l'est, qu'arrive-t-il ou que devrait-il arriver dans la vie de chacun de nous ? — Premièrement, cette proposition est-elle vraie ? Peut-on concevoir que l'inverse soit vrai ? Peut-on imaginer des millions d'objets qui sont des manifestations de la vie, et cette vie comme ayant dans chaque cas une origine séparée ? Peut-on démontrer l'exactitude de cette proposition ? Non, mais l'on sait que rien de ce qui mériterait démonstration ne peut être démontré. Mais la force de la vérité s'imposera d'elle-même à l'esprit, difficilement, et d'une façon exaltante et indiscutablement.

L'expérience intuitive qui est l'ultime preuve, exige que nous nous élevions jusqu'aux sommets de la pensée et que nous fassions un bond existentiel au-delà du raisonnement intellectuel. Il faut que nous atteignions la maison de la vérité, le royaume de l'intuition-Prajna, décrite par l'Orient. Poursuivons donc notre escalade.

Au sommet, au point le plus élevé de la pensée humaine, se trouve le CELA des Hindous, « le Non-né, le Non-créé, le Non-formé ». Le Sutra Parinirvana affirme que c'est « le seul principe de vie qui existe indépendamment de tout phénomène extérieur ». Les Taoïstes l'appellent Tao, d'où l'Un. Eckart l'appelait Gottheit, la « déité », dépassant Dieu. C'est l'innommé, l'indicible, qui a beaucoup de noms.

Tout le monde s'accorde à dire que sa première émanation est l'Un, unité indivisible qui, en se manifestant, se divise en deux. C'est l'esprit unique, l'esprit du Bouddha qui est en même temps noumène et phénomène, absolu et relatif, sujet et objet. D'où tous les couples de contraires, l'ombre et la lumière, le négatif et le positif, l'affirmation et la négation. Et de deux ils deviennent trois (par le rapport qu'ils ont entre eux) et alors apparaissent ce que les Chinois appellent les « 10.000 choses ».

Par quelle force puissante, énergie, volonté, CELA devient-il CELA-CECI ? Quelle est la force qui « s'exhala », comme disent les Hindous, pour donner naissance à Un-Deux-Trois et à toute chose, tandis qu'elle-même ne se manifestait jamais ? Une force qui crée, utilise et détruit toutes formes par sa propre force ? qui n'est rien et qui devient toutes choses ? Je l'appellerai la vie.

C'est l'esprit dans la matière, la vie dans la forme (« la forme est vide, le vide lui-même est forme »). Le contraire de la vie est forme. Ce n'est pas la mort. *Il n'y a pas de mort*, il n'y a que le cycle de la naissance, du développement, de la décrépitude et de la mort inévitable. « La cause de la mort est la naissance ». C'est aussi simple que cela.

De même que la vie est une, la conscience est une, et elle est également indivisible et invisible. Il y a un cycle de l'inconscience. Conscience (Je suis) — Conscience de soi (Je sais que je suis moi) et finalement Nirvana (ce n'est plus la conscience de soi, mais la conscience transcendante, inobjective), l'ultime mystère qui est le cœur de l'Illumination.

Mais si CELA s'est exhalé, tout en restant CELA, alors tout le devenir est illusion (*maya*), pourtant toutes les choses sont vraies relativement les unes aux autres, comme le dit Hui-Neng : « Depuis le commencement rien n'existe. » Nous voilà en présence d'un paradoxe, mais le Sutra Diamant vient à notre secours quand il dit : « Il n'y a ni gens ni choses, et cependant ils sont là ! » Appliquant ceci à l'éternelle discussion sur le soi, que j'estime tout à fait inutile, l'école Theravada a raison de proclamer la doctrine de l'Anatta (doctrine du non-moi) et de dire qu'il n'y a pas de moi séparé. Rien n'a une essence distincte. Et l'école Mahayana ou école du Grand Véhicule (de libération) a également raison de proclamer que si le Soi est la vie de CELA, il n'y a rien d'autre !

Mais dans le devenir (Samsara) l'homme est double, son esprit est intolérablement tendu et déchiré. Enchaîné aux difficultés du devenir, nous cherchons à lui échapper, à fuir. Nous ne pouvons le faire parce qu'il n'y a pas d'issue et nous n'avons pas à le faire parce que si le devenir est la manifestation du non-créé, du non-conditionné, la lumière est ici, et en nous, et notre seul devoir est de la voir ainsi. Mais il faut la *voir* ainsi, là où elle est. Le Dr Suzuki dit : « L'Un est dans Tout et Tout est dans l'Un » — et il ajoute : c'est là un fait absolu.

La vie est un courant de conscience indivisible, une force intelligente et vivante qui n'est autre que l'esprit du Bouddha en action. « Il dort dans les minéraux, s'éveille dans les végétaux, circule chez les animaux et devient conscience chez l'homme », dit un vieux dicton. Car il n'y a pas de matière morte et la science découvre rapidement, dans les pas du Bouddha, que la « matière », vivante ou morte, n'existe pas.

C'est la force vitale qui fait de toute chose précisément ce qu'elle est. Et je présume que nous pouvons par conséquent considérer chaque « chose » comme le centre focal de la Vie Une, au moment et sous l'aspect donnés. Un centre focal de l'universel Esprit du Bouddha ?

Mais comme la matière n'existe pas, ainsi que l'a prouvé la désintégration de l'atome, et que seule existe la force ou l'énergie — ou la vie —, nous ne sommes dans nos corps éphémères que des points dans un même flux de conscience.

S'il en est ainsi, quels sont nos rapports (a) avec le Non-créé et (b) les uns avec les autres ? (a) Le Non-créé reste le Non-créé même dans ses manifestations du devenir continu » (Samsara), comme l'enseignent toutes les grandes écoles mys-

tiques et l'Esprit du Bouddha dans chacune de ces formes ne
fait qu'un avec l'Esprit du Bouddha. Quant à (b), nous devons
apprendre la leçon suivante qui est difficile mais excellente :
« les autres (en tant que différents) n'existent pas ». R. H. Blyth
a traduit l'un des poèmes didactiques d'Ikkyu :

> Quand je réfléchis profondément,
> Il n'y a pas de différence
> Entre moi et les autres,
> Car il n'y a pas d'esprit
> En dehors de cet Esprit
> (qui rassemble en soi toutes choses).

C'est à cet Esprit que le maître Huang Po fait allusion dans
l'avant-propos de son célèbre livre : « Le Maître m'a dit : Tous
les Bouddhas et tous les êtres sensibles ne sont autres que l'Esprit
unique et rien n'existe en dehors de lui. » Comment y aurait-il
place pour d'autres, sauf ce qui fait partie de l'illusion générale du devenir (Samsara), ce monde relatif de la dualité trom-
peuse ? Mais il ne suffit pas de répéter des paroles, il faut s'élever au niveau de l'expérience dans laquelle ces dires se véri-
fient. Et nous tomberons d'accord avec un autre maître Zen :

Quand nous comprenons qu'aucun être n'a d'identité propre,
Quelle différence y a-t-il entre mon visage et celui du Bouddha ?

Absence totale d'une identité propre, c'est le mot-clef. Tant
que le moi lutte avec le moi il est impossible d'apercevoir le
Soi qui est au-delà, au-dessus, et pourtant à l'intérieur des
deux. Il faut atteindre le point où le « Soi rencontre le Soi et
se reconnaît dans l'Autre ».

Nous sommes en plein mysticisme. « Mon Père et moi ne
faisons qu'Un » est une phrase comparable à celle de *The Voice
of the Silence* : « Regarde en toi-même, tu *es* Bouddha. » Dans
la méditation ou dans la vie quotidienne il est bon de suivre
ce conseil : « Cherche le royaume de Dieu et sa justice, le reste
te sera donné par surcroît ».

Mais, en un sens, une chose ne peut exister que si elle est
séparée. Une goutte d'eau n'est pas une goutte d'eau tant
qu'elle fait partie de la mer. De ce fait découle la « logique
Zen » qui n'est pas logique car A n'est A que parce qu'il est
aussi non-A et vice versa. Mais nous sommes ici dans la « grande
hérésie de la séparation » qui fait que l'on croit que moi dans
ma forme je suis réellement séparé de vous dans la vôtre. Car
il s'agit du moi, qui est la vraie cause de toute souffrance et
le Chemin est destiné à extirper cette hérésie.

Regardez votre frère de plus près, cette autre chose qui vous fait face dans la relativité. Il peut être du même sang que vous, un ami ou un ennemi, votre patron ou votre employé, quelle que soit sa couleur, sa caste ou sa religion. C'est votre frère, vous êtes son gardien comme il est le vôtre. Vous êtes tous deux importants et non importants. Vous souffrez tous les deux. Comme l'a écrit un poète indien :

> Et sur le visage de mon frère
> Je vis ma propre angoisse qui reste sans réponse.

Vous avez l'un et l'autre contribué à alimenter « cet océan de tristesse et de peine formé par les larmes des hommes ». Vous connaissez l'un et l'autre « la sombre et silencieuse musique de l'humanité. »

Essayez de l'aimer. Patanjali dit que l'amour est une forme de la connaissance et que c'est en nous unissant à un être, en nous unissant à lui par l'amour, que nous le connaissons vraiment. Peu de gens sont capables de dire si cela est vrai ou non parce que rares sont ceux qui en font l'expérience. Mais il faut apprendre à haïr non pas l'homme, mais ce qui est mauvais en lui, et il faut l'aider à supporter les conséquences de ses erreurs. Pour vous et pour moi qui sommes vulnérables, cela implique qu'il faut abaisser les remparts qui renferment le moi. Vous avez aidé à le faire ce qu'il est, meilleur ou pire que vous-même si vous osez le juger. Vous avez modifié ses pensées et il a modifié les vôtres. Vous avez partagé également les effets du Karma. Marc-Aurèle, l'empereur stoïcien, écrivait dans son journal : « il faut pénétrer le moi profond de tous les hommes et il faut que tous les hommes pénètrent dans le tien. » Pour que tu reconnaisses en lui, comme lui en toi, l'Esprit du Bouddha, et R. H. Blyth a raison d'écrire : « Plus nous nous rapprochons de l'Esprit, plus nous nous rapprochons des êtres. »

Ainsi, pour ce qui est de la deuxième partie de ma thèse — Si la Vie est Une, qu'en résulte-t-il ? — la réponse est multiple et se trouve chez tous ceux qui accueillent le grand principe de la pensée comme un avant-goût de l'illumination. Non seulement nous sommes entièrement dépendants les uns des autres, nous autres humains, mais nous sommes aussi totalement assujettis à l'enchaînement des causes que notre but est un. Le but de la vie est le retour, le retour à CELA d'où est venue l'illusion de l'espace et du temps. Votre but, le mien et celui de tout ce qui vit est le même : retourner après des jours nombreux à notre point d'origine, à notre vrai foyer natal. Ici nous passons des jours et des nuits au travail et au repos, nous apprenons des leçons qui demandent le temps de la réflexion, car qu'est donc le Bouddhisme sans la doctrine raisonnable et certainement inéluctable de la réincarnation ? J'approuve les vers de l'élégie de Dalmon pour Edward Thomas.

> Les oiseaux ailés, les poissons avec leurs nageoires,
> Et les nuages et la pluie et le calme et le vent,
> Et le soleil et la lune et les étoiles proclament
> Que toute vie est une, partout.
>
> Que rien ne meurt pour tout de bon
> Dans la terre ou la poussière, la terre ou le bois,
> Mais que tout se repose un instant, pour célébrer
> L'ancien pacte de la vie avec le sommeil.

Dès lors comment exercer l'immense force qui se déchaîne dans le cerveau et dans le cœur ? Comment enregistrer les effets d'une attitude complètement nouvelle vis-à-vis des gens et des événements ? On peut simplement observer quelques-uns de ces effets sur soi-même et sur ceux qui font la même expérience.

Premièrement, il faut cesser de reprocher quoi que ce soit aux autres, qu'ils aient réellement tort ou qu'une analyse réfléchie montre que les torts sont de notre côté. Pour employer le langage moderne, il faut cesser de projeter des sentiments sur autrui et simplement reconnaître que tout est de notre propre faute. Il faut que le moi se repose et somnole. C. G. Jung dit que par une telle attitude on aide tous les hommes. Dans un célèbre passage de *Psychologie et Religion* (p. 101) il décrit le mécanisme de ces projections (sur autrui) et le courage de celui qui s'en abstient. « Cet homme sait que c'est en lui-même qu'il doit chercher la racine du mal qui sévit dans le monde et s'il vient à bout de sa propre ombre il aura accompli vraiment quelque chose d'utile. Il aura réussi à résoudre une partie infinitésimale de l'immense problème non résolu de notre temps. »

Deuxièmement, cette prise de conscience nouvelle engendre une tolérance totale envers la manière de penser et d'agir des autres. Ne peut-on comprendre sans désapprouver ? Ce que fait mon frère est peut-être excellent pour lui, ici, dans le moment présent. Lui aussi « travaille avec diligence à son propre salut ». Ne devons-nous pas l'aider à poursuivre le but tel qu'il le voit actuellement ? Sans doute désapprouvons-nous certaines opinions, certains modes de vie, mais nous appartient-il de les dénoncer ? Et s'il s'agit de réprouver des sociétés bouddhistes autres que la nôtre, la zizanie s'étendra chez nous. Qui donc peut se vanter de pratiquer le bouddhisme parfait ? Mais si la Vie est Une...

Retenons cette leçon. Suivons-la. Le poète Browning chante : « Dieu est dans le ciel. Tout est juste dans le monde. » Thoreau, le poète américain, dit : « Je sais que cette œuvre est magnifique. Je sais que tout fonctionne bien. Je n'ai pas appris de mauvaises nouvelles ». En réalité, « chaque journée est une bonne journée », comme l'a dit un maître du Zen, inspiré par son illumination. Si nous nous plaçons à ce point de vue, nous dirons que « tout va bien, que tout est parfait » — c'est un fait cosmique car, s'il n'en était pas ainsi, la délicate harmonie de l'univers, les lois du Karma, enseignées par le Bouddha, les formes et les circonstances, étroitement reliées entre elles, tout cela exploserait et tomberait dans le chaos. « Les flocons de neige tombent, dit un autre maître Zen, et chacun tombe à sa place ».

Allons encore plus loin. Si la Vie est une et reflète le « non-créé, le non-formé », toute vie est sacrée, si ce mot a un sens, toutes les formes de la vie. Ne pas faire de mal (Ahimsa) est une vertu bouddhiste. Je ne suis pas seul à avoir remarqué que dans les pays bouddhistes les gens sont doux et bons. Considérons à présent la mouche bleue et la guêpe que nous détruisons joyeusement, considérons la pensée qui s'acharne à détruire non seulement ces insectes soi-disant nuisibles, mais aussi les êtres qui agissent d'une façon que nous jugeons blâmable et dont nous souhaiterions volontiers la mort. Sommes-nous conciliants et bienveillants devant les opinions des autres et leurs différentes manières de vivre ? Leur vie est la nôtre et doit être également respectée.

La conscience nouvellement éveillée commence à se manifester dans ces détails. C'est encore notre conscience, mais il arrive un moment où la Force Vitale, cette force unique, se met à parler, en quelque sorte, en son propre nom. Ce nouveau maître, la volonté de la vie, que Sir Edwin Arnold appelle « un pouvoir divin qui va au bien », prend les choses à sa charge et l'individu devient un conduit où le courant passe plus ou moins abondamment. Il y a coopération totale et non intermédiaire négatif, le serviteur obéit à son maître et seigneur, car « le Soi est vraiment le maître du soi. Quel autre maître pourrait-il y avoir ? » (Dhammapada). Mais cela est une question d'expérience qu'il est difficile de décrire.

Et quand la Force Vitale est ainsi assimilée et attelée à la volonté, ou, pour être plus précis, quand la volonté individuelle s'adapte joyeusement au processus de la création, un autre de ces vastes principes apparaît sur son propre plan, là seulement il peut donner la plénitude de sa puissance. La compassion est alors élevée au-dessus de l'affection comme la doctrine des Theravadin du non-moi fut portée par les Mahayanistes jusque dans le domaine du Vide (Sunyata). Le Bodhisattva apparaît maintenant comme beaucoup plus important qu'un simple idéal qu'on vénère. Comment en serait-il autrement d'un homme qui a découvert l'unité de la vie et compris que toutes les formes humaines de celle-ci ne sont que des créatures vouées à l'illusion, qui ont besoin qu'on les aide à échapper à leur propre réalité. La Vie, en tant que Sagesse (Prajna), se manifeste à présent en tant que Compassion à chaque instant du jour et Sagesse et Compassion sont inséparables. Tout ce que nous apprenons, tout ce que nous découvrons de vrai, est immédiatement et constamment mis au service de la vie sous toutes ses formes.

Le Bodhisattva est complémentaire de l'Arhat. « Dans sa sagesse il ne voit personne ; dans sa compassion il est déterminé à sauver les autres. Son aptitude à combiner ces deux attitudes contradictoires est la source de sa grandeur. » Le Dr Conze expose avec concision le paradoxe final. Toutes choses sont vides (*sunya*). En tant que choses séparées elles n'existent pas. Mais il faut les sauver et celui qui comprend l'unité de la vie se consacre à ce but. La vie elle-même est peut-être « l'amour qui dépasse l'entendement », et ce grand bouddhiste qu'est le Dr Suzuki, au cours de sa dernière conversation avec le Père Merton, déclara : « la chose la plus importante est l'amour. »

L'amour que nous avons pour nos frères donne peut-être la mesure de notre éveil. « Aimez-vous les uns les autres. C'est à cela que l'on saura que vous êtes mes disciples », a dit Jésus. Et nous paraphraserons une autre de ses paroles : « Tu aimeras l'Esprit du Bouddha de toutes tes forces... et ton voisin comme toi-même. » Pourquoi pas, si la vie est une ?

Et maintenant regardons vers le haut. Au-delà des étoiles, qu'est-ce donc que cet univers connu et non encore mesuré ? Simplement la vie et ses formes infinies. Ni soi, ni autre. Wordsworth vit chacune de ces formes avec des visages tournés vers ce non-créé qui engendra le monde du Devenir (Samsara).

> La joie que j'éprouvais
> Devant toute forme de créature qui contemplait
> L'Incréé, dans une attitude
> D'adoration, avec un regard d'amour.

Nous nous rapprochons peut-être maintenant de ces paroles puissantes qui sont au cœur du Zen : « Vivre la vie comme vit elle-même la vie. » Dans la mesure où nous réussirons à le faire, nous nous rencontrerons au ciel et le ciel sera ici, aujourd'hui, et nous aurons le cœur en joie et les yeux remplis de paix.

LA PENSÉE ILLUMINÉE

Grâce à une expérience croissante qui s'appuie sur les textes sacrés, et à la fréquentation de bouddhistes éminents, j'ai acquis la conviction que malgré le caractère de soudaineté du phénomène de l'illumination, qui ne résulte pas d'une préparation antérieure, l'individu, encore enfermé dans un cocon mental, peut développer ses facultés de manière à se placer dans les meilleures conditions pour réaliser une brusque « percée » dans l'Au-delà de la pensée. Il est donc bien vrai qu'il existe une préparation progressive à ce brusque éveil.

Au cours d'une telle évolution l'esprit atteint un stade supérieur en passant par l'intuition-Prajna. La cloison qui sépare l'information de la véritable connaissance s'amincit, le moment où l'on voyait obscurément les choses s'estompe et on « les voit maintenant face à face », *ma* conscience de la réalité fait place à la vraie connaissance Zen qui, d'après Thomas Merton, « n'est pas notre propre conscience mais la conscience de l'Être qui est entré en nous. »

Si cela est vrai, j'attire là-dessus l'attention de ceux qui sont las de s'entendre dire qu'il est inutile de lutter pour parvenir à l'illumination. Il y a sans doute confusion ici entre la conscience de ceux qui sont « arrivés » et de ceux qui commencent à peine le voyage. Pour ceux-ci, la question est de savoir ce qu'ils doivent faire pour s'orienter vers cette haute conscience. Les lignes qui suivent proposent une réponse.

J'exposerai ma thèse en une suite de propositions numérotées, dont chacune est le fruit d'une étude et de cette tension d'esprit sur un sujet, choisi ou non, que j'appelle la méditation.

I. — L'illumination, qui se présente par éclairs, ou sous forme de percée, est soudaine et parfaite. J'accepte la compa-

raison du Dr Suzuki entre les écoles Progressive et Immédiate
de Shen-hsiu et de Hui-neng, pour la raison que « l'illumination se produit instantanément, mais le processus qui conduit
à l'illumination est naturellement progressif et demande beaucoup de temps et de concentration d'esprit. » Mais je ne crois
pas que l'on puisse parler d'illumination après une seule expérience et je suis d'accord avec Hakuin lorsqu'il fait la distinction suivante : « J'ai connu à cinq ou six reprises le bonheur
d'un éveil fugitif, et d'innombrables fois la joie entraînante
(de l'état de conscience Zen). Mais seul le Bouddha possède la
plénitude de l'illumination. »

2. — Ce moment qui est « hors du temps » n'arrive que
précédé de périodes de longs efforts, de tension morale et de
souffrances. Je ne connais pas d'exceptions à cette règle. Huang
Po termine le rapport de Wan Ling par ces mots ;

> « Sois diligent ! sois diligent.
> Exerce ta force dans cette vie pour atteindre
> Ou sinon tu passeras des éternités à chercher ! »

Et l'on rapporte que les dernières paroles du Bouddha furent
les suivantes : « Tout est transitoire. Luttez énergiquement ! »
Lutter pour quoi ? Si ce n'est pour sentir que l'Esprit du Bouddha est en nous et qu'il n'y a rien d'autre à atteindre ?
Cette lutte exige une longue préparation personnelle dont
parlent abondamment les Écritures bouddhistes. La noble Voie
octuple — la noble Voie des huit Vertus — n'est rien d'autre
que cela, ainsi que l'exercice du « Koan »[1] qui dure des années
dans les monastères Zen. La préparation est tantôt longue,
tantôt courte. Le moindre regard furtif dans l'Au-delà a quelque chose d'unique qui ne laisse aucune place au doute. Seuls
varient la profondeur du désir et le pouvoir de l'esprit pour
renouveler cette expérience.

3. — L'homme est multiple. Les cinq skandhas[2] décrivent
la personnalité qui, d'après la doctrine bouddhiste, est désa-
grégée en tant que personnalité individuelle. Le moi n'est pas
séparé du Principe Vital unique qui utilise toute forme sans
y être contenu. Mais les skandhas ne constituent pas l'homme

1. Koan : exercice ayant pour but de dépasser les limites de la pensée
et de développer l'intuition (N.d.T.).
2. Skandha : les cinq éléments qui conditionnent causalement l'existence d'un être ou d'une chose (N.d.T.).

entièrement ; la volonté n'y figure pas : « La volonté fait l'homme
et le Zen fait appel à elle » (Suzuki). N'y figurent pas non plus
Manas [1], Buddhi ou l'intuition, ni Atman [2] — tous sont des
aspects de l'homme total et sont nécessaires à l'illumination
totale.

Aujourd'hui dans les pays occidentaux la plus importante
des facultés est l'intellect ou faculté de connaître. C'est pour
la plupart d'entre nous le moyen de communiquer avec le
monde extérieur et de découvrir la vérité. Mais ceux qui sont
les plus fiers de ce magnifique instrument sont les moins dis-
posés à en admettre les limites. Ils refusent de reconnaître que
de même que la portée des sens est étroitement définie et que
les sensations se distinguent nettement de la pensée, celle-ci
se confine à son propre domaine dans lequel elle acquiert de
plus en plus de renseignements sur les phénomènes. Mais l'intelligence ne donne pas le *savoir* au sens immédiat et direct.
La pensée doit épuiser la pensée avant qu'une autre faculté
ne la remplace. Il n'y a pas de détours ni de raccourcis dans la
nature.

Mais l'esprit présente plusieurs degrés. Le degré inférieur
est trop souvent rempli par l'appétit du moi pour le monde
des sens. Au-dessus de lui, se trouve la machine-à-penser utilisée quotidiennement, et, pour quelques-uns, la faculté d'élever leur pensée vers des idées abstraites et plus nobles, qui
conduisent à une prise de conscience de l'unité totale. A ce
niveau il y a, je crois, de grands esprits qui n'ont pas encore
conscience d'une « percée » dans la Non-dualité mais qui sont
progressivement éclairés par l'unique Lumière qui se répand
par l'intuition.

4. — Mais la raison (Manas) fonctionne à merveille dans
la dualité. Elle acquiert une notion intellectuelle de l'illumination. Elle comprend que l'Esprit de Bouddha est déjà en
elle et qu'il est vain et inutile d'essayer de l'atteindre. Dans
ce domaine le bouddhiste obéit aux grands principes du bouddhisme, le Vide et le monde « tel qu'il est », la Sagesse et la
Compassion qui sont inséparables, le Non-créé et le fait que
le Nirvana est ici, à notre portée. Mais cette notion est encore
conceptuelle. Personne ne peut acquérir par l'intelligence la
certitude que ces principes sont vrais. Pourtant il y a un « Je »

1. Le cerveau, la faculté de raisonnement (N.dT.).
2. Le Soi suprême, la conscience universelle (N.d.T.).

qui voit et qui sait ; mais il n'a pas encore la vision de ce qu'est la non-vision.

5. — Un tel savoir, impersonnel et direct, est celui du Buddhi, cette faculté qui est sous-développée chez la plupart d'entre nous et que Suzuki appelle l'intuition-Prajna. Elle semble fonctionner comme un récepteur permettant de transmettre au cerveau la force d'Atman (la conscience universelle), qui n'appartient elle-même à aucun homme. Les rayons du soleil qui nous éclairent n'appartiennent à personne et l'Atman ne nous apporte qu'une flamme de la Lumière que le Bouddha appelait le Non-créé. Dans *The Field of Zen*, le Dr Suzuki écrit : « Dire qu'il n'y a pas de moi, pas d'Atman, ce n'est pas assez dire. Il nous faut avancer d'un pas et dire qu'Atman existe, et que cet Atman n'est pas du domaine du relatif mais de celui de l'absolu. »

6. — Mais les facultés de l'homme ne sont pas comme les étages d'une maison, elles ne sont pas divisées. Ce sont des « formes de force », des *uphadis*, ou véhicules d'un courant de conscience non divisé. Elles sont absolument entremêlées et l'homme total, univers en miniature, est un tout vivant d'une incroyable complexité.

La lumière de l'illumination qui éclaire déjà l'esprit supérieur qui s'est purifié, pénètre les véhicules de la conscience et il n'est pas surprenant que celui qui vient immédiatement au-dessous de Buddhi — s'il est possible de poursuivre l'analogie verticale — sera le premier à être illuminé, souvent bien avant d'opérer la percée immédiate.

Pour ma part, j'ai constaté qu'une étude approfondie de ce que j'appelle la méditation, et son application quotidienne, favorisent le passage à l'intuition et à la Lumière de l'Au-delà.

7. — Si l'on se livre à une étude intensive des principaux thèmes du bouddhisme, ils prennent racine dans l'esprit et lui servent de levain. Il en résulte (a) qu'on se détache de tous concepts et de tous principes (y compris de ceux-ci) ; (b) que l'illusion de l'ego s'atténue ; (c) et que « cette rotation au plus profond de la conscience » se produit ; cette vraie conversion qui provoque à son tour un changement des valeurs. Un tel état d'esprit favorisera, je crois, les premiers instants de l'intuition-Prajna (Satori), un bref éveil au Non-créé.

8. — Ainsi ai-je trouvé, ou appris par les grands disciples, que des phrases comme celle-ci : « Abandonnez tous concepts », ou : Voyez l'Esprit du Bouddha comme étant la seule chose qui existe », ou : « Rendez-vous compte que c'est folie d'essayer de saisir ce que vous possédez déjà », n'apportent aucune aide pratique à l'esprit occidental. Pour ma part, et pour des milliers d'autres, je réponds : « Comment ? Comment faire mes premiers pas pour parvenir à une telle prise de conscience ? »

J'entends ces grands disciples dire que le premier pas sur le chemin du Zen commence à la première expérience. J'accepte cette splendide déclaration qui, en un sens, est exacte ; mais nous nous occupons ici d'une voie préliminaire qui conduit, comme doivent le faire toutes les voies, à l'entrée sans porte de la première expérience. J'accepte le vieux dicton bouddhiste qui dit : les chemins qui conduisent à l'Un sont aussi nombreux que les vies des hommes, mais chacun de ces chemins approche, à travers le moment de la conversion, de « cette rotation au plus profond de la conscience », c'est-à-dire de la première expérience substantielle du Zen. Le long de ces différents chemins, dont pas un n'est meilleur que les autres, le chercheur trouve ce qu'il cherche, développe sa volonté et dans l'obscurité de son ignorance (Avydia) explore l'Entrée. Par la suite il avance sur une terre de paradoxe, où la route n'est pas tracée et où l'on n'arrive jamais au bout.

En attendant, comment aidons-nous nos frères à se diriger par un chemin de leur choix, vers l'Entrée sans porte du vrai commencement ? car je crois fermement que c'est notre devoir « d'indiquer le chemin — si vaguement que ce soit, perdus comme nous le sommes dans la multitude — comme le fait l'étoile du soir pour ceux qui avancent dans la nuit. » Le Dhammapada fait écho à *The Voice of the Silence* : « Les Bouddhas eux-mêmes ne font qu'indiquer le chemin ». S'il est vrai que le Maître ne possède que son doigt pour montrer la lune, ne ferons-nous pas ce geste pour ceux qui ne voient pas l'astre nocturne ? »

Le geste que je fais doit être personnel, car on n'apporte jamais que sa propre expérience.

Je plaide en faveur d'une triple discipline, qu'on s'impose à soi-même et à laquelle on se soumet régulièrement. Premièrement, l'*étude*, profonde, incessante, à laquelle on consacre le meilleur de ses moyens. Un maître que l'on regarde vivre est peut-être plus instructif que les livres, toutefois il

6

faut se méfier du danger du culte du maître ; en s'accrochant aux paroles de celui-ci, on se laisse aller à l'illusion de croire qu'on peut ainsi atteindre la Vérité comme un étourneau attrape un vers dans le nid de ses parents, alors, hélas ! qu'on ne trouve la vérité qu'en soi-même. L'étude des livres détruit ces dangers. Je pourrais citer une douzaine d'ouvrages qui, annotés et sérieusement assimilés, habitueront l'esprit à dépasser ses propres limites et transformeront les principes de doctrine en éléments vivants de l'esprit.

Il y a bien entendu ceux qui, pendant quelque temps du moins, ne se préoccupent pas de l'intellect, car ils sont encore sur le chemin de la sensibilité et de la dévotion. Mais de même que l'intellectuel devra, tôt ou tard, pratiquer la dévotion (bhakti) et l'amour, de même ceux-là devront développer en eux l'intellect abstrait, avant de devenir pleinement illuminés.

Le second aspect de l'auto-discipline est la *méditation*, je veux dire une profonde concentration sur un sujet, ou sur un principe vivant en cherchant à l'aide de l'intuition à en extraire exhaustivement toute la signification. Cela permet de raviver quelques lueurs de l'expérience réelle que l'écrivain essaie de communiquer. Pour se livrer à ces réflexions, beaucoup préfèrent un endroit tranquille et un horaire régulier. Je me suis habitué à faire cet exercice n'importe où et à n'importe quel moment. Mais quelle que soit la méthode employée, il faut veiller à ce que l'intention soit pure. Comme le dit le Lama Trungpa, dans *Meditation in Action*, « la méditation est un but en soi. On ne médite pas sur quelque chose ou pour quelque chose — ce qui nous entraîne vers « l'absence de but » du Zen qui est le seul moyen de faire quoi que ce soit. Le sens que je donne ici au mot méditation en indique clairement l'objet qui est de préparer l'esprit à la mort du soi, et quand le soi est anéanti, seul le Non-créé subsiste.

Troisièmement, l'*Application*. Devant une crise, importante ou non, appliquons-nous immédiatement les principes du bouddhisme ? Les lois du Karma, du Vide (Sunyata), le délicat équilibre de la Sagesse et de la Compassion (Prajna-Karuna), l'irréalité du « Je » qui s'agite ? Sinon, pourquoi adhérons-nous au bouddhisme ?

Et voilà pour la préparation de base. Ce n'est que lorsqu'on a fait tout cela, et scrupuleusement, qu'on peut, me semble-t-il, en supprimer sans crainte une grande partie. Par exemple, dans l'approche final du Zen on peut se rendre maître de ses pensées au point de cesser de penser. Mais peut-on apprendre

à cesser de penser avant d'avoir appris à penser ? Et peut-on
« lâcher prise » avant d'avoir compris qu'on est lourdement
attaché ? Accepter l'idée que l'esprit du Bouddha est tout ce
qui *est*, avant d'avoir la moindre idée de ce qu'il *est* ? Je ne le
crois pas. Attendons pour escalader les sommets d'avoir, au
prix d'énormes efforts, vaincu d'abord les pentes douces.

Devant les sourires entendus des plus jeunes et des plus
sages, je soutiens ma thèse parce que je la trouve satisfaisante.
Je vous conseille d'élever vos pensées, de réfléchir intensément aussi longtemps que vous le pourrez, et même un peu
plus. D'être vigilant, et vous vous apercevrez que vous aurez
des moments de compréhension que la pensée à elle seule ne
pourrait pas vous procurer. Remarquez que l'esprit tout entier
est de plus en plus imprégné d'une lumière de certitude, de
sérénité, de *connaissance* vraie. Le reste viendra. Et vous direz
alors ce que nous disons tous : « Comme tout cela est simple !
Bien sûr, toute forme est vide, tout vide est forme ; bien *sûr*,
le Devenir (Samsara) est le Nirvana et l'Esprit de Bouddha
est dans tout. »

Maintenant, vous pouvez entreprendre l'étude du Zen.

7

AU-DELÀ DE LA SAGESSE

Les philosophies, les religions et les systèmes spirituels ne naissent pas dans le vide. Chacun d'eux a pour origine l'expérience spirituelle d'un homme ou d'un groupe d'hommes qui établissent une doctrine ayant sa propre littérature, ses grands noms et son idéal. Il en est de même de la forme spécifique de cette doctrine dont il est assez facile de retracer la genèse.

Le bouddhisme Ch'an fut créé par le Bodhidharma et par Hui-Neng qui adaptèrent le bouddhisme hindou à la mentalité chinoise. Dans leur message ils rejettent la parole écrite, en faveur d'un « regard direct dans le cœur de l'homme ». Et pourtant — ironie des choses ! — les données sans lesquelles il est difficile de comprendre la parole des maîtres forment un énorme ensemble de textes.

Quant au Zen lui-même, nul besoin pour l'aborder d'avoir recours à la littérature ou aux méthodes qui ont été formulées. Nous avons besoin de guides, de « doigts qui nous indiquent le chemin » pour nous aider à monter la pente. Les guides de conduite qui nous aideront à nous hisser sur le « mât aux cents pieds », du haut duquel nous plongerons dans une nouvelle conscience, sont contenus dans les écrits désignés sous le nom de Prajna-paramita ou Sagesse, pour traverser vers l'autre rive, et nous devons nous en pénétrer en même temps que du thème de Sunya-ta, vide, vacuité, avant de pouvoir comprendre les maîtres du Zen, leurs sermons et leurs conseils. Le Dr Suzuki déclare : « Le développement du Zen s'est appuyé sur les institutions de Prajaparamita ». Il faut remarquer que le Zen s'est développé à partir de ses institutions, non de ses concepts et de ses formulations. Car nous ne comprendrons pas le contenu de cette littérature si nous le considérons comme un ensemble de formules scolastiques. Ce ne sont pas des propositions abstraites mais des tentatives rassemblées par des

hommes d'une grande valeur spirituelle, pour rendre compte
de leur expérience directe et immédiate de la Sagesse (Prajna),
de l'éveil en eux-mêmes de « l'œil » de l'intuition — Prajna.
C'est pourquoi le Dr Suzuki dit encore : « Pour comprendre
la Prajnaparamita ou l'intuition, nous devons abandonner
complètement ce qu'on appelle « ce côté-ci » des choses et aller
sur « l'autre rive ». « Ce côté-ci » c'est le monde de la discrimination. Ce changement de position qui nous transporte
de l'autre côté du Vide (Sunyata)... « est une révolution au
sens le plus profond du mot. C'est aussi une révélation ». Il
n'est pas étonnant que ce nouveau point de vue soit plein
de paradoxes et d'irrationnalités. Le moment du passage sur
l'autre rive est celui de la conversion, expérience qui existe
dans toutes les religions. « Si on reste de ce côté-ci du dualisme, on ne pourra jamais combler l'abîme entre la relativité
et le vide... On ne prend conscience du vide (Sunyata) qu'en
retournant dans l'inconscience universelle (Alayavijnana) qui
est le thème fondamental de l'École bouddhiste de l'Esprit-
Seulement.

Approcher le Vide n'est pas facile. Le Dr Conze, qui fait
autorité en la matière dans les pays occidentaux, estime dans
Selected Sayings from the Perfection of Wisdom, que celui qui
aborde ce sujet doit avoir une compétence remarquable. Il
doit être familiarisé avec les textes du Theravada, dit-il, et
avoir une nette préférence pour les méthodes d'approche intellectuelle et un penchant pour les idées métaphysiques. Il doit
aussi « avoir acquis une dose de détachement pour les choses
de ce monde », car à cette condition seulement il pourra « révi-
ser tous ses mobiles et ses intérêts. » Enfin et surtout, il faut
qu'il soit assoiffé d'absolu. Ne nous décourageons pas, car ce
n'est qu'en nous approchant que nous comprendrons le Sutra
Diamant, le sutra du Cœur, les rapports de la falaise bleue et
le Moumonkan.

Voyons ce que disent ces textes et comment nous pouvons
les utiliser. Ici il faut dire quelques mots de l'histoire du bouddhisme. Nous savons que le bouddhisme est né en Inde au
VIᵉ s. av. J.-C. et qu'après la mort du Bouddha de nombreux
conseils se réunirent pour discuter et se mettre d'accord sur le
Dharma, c'est-à-dire l'Enseignement. Nous savons ce qu'on a
appelé l'École Hinayana dont la dix-huitième secte existe
encore aujourd'hui sous le nom de Theravada, avec son canon
Pali. Nous savons que surgirent très rapidement d'autres écoles
qui rayonnèrent dans différentes directions. Il y eut la **critique**

analytique négative de Nagarjuna sur les phénomènes, qui le conduisit à notre thème actuel sur le vide. Nous connaissons les écoles complémentaires de Yogacara, de Vijnanavada ou de l'Esprit-Seulement, qui était plus psychologique et qui prenait pour thème fondamental l'Inconscience Universelle de Alayavijnana, la conscience-de-réserve [1] pour laquelle toute manifestation est sans réalité, car tout ce qui existe est seulement Esprit. La doctrine Mahayana du Bodhisattva, complémentaire de l'idéal Theravada, fut pleinement développée dans le Sutra du Lotus, extrêmement populaire et le culte d'Amida, en Chine, suscita la création de l'école du Pays Pur où l'on fait son Salut par « l'Autre Pouvoir », qui fut connu au Japon sous le nom de Shin. Plus tard, le Tantrisme du Bengale fut adopté au Tibet, puis en Chine et au Japon. Tous ces mouvements font partie du vaste domaine du bouddhisme, mais les textes sacrés des deux premiers, l'école de la Voie Moyenne ou Madhyamika associée au génie de Nagarjuna, et l'École de l'Esprit-Seulement d'Asanga et de Vasubandhu, sont d'un intérêt capital au point de vue de la tendance intellectuelle intuitive du Zen.

D'après le Dr Conze, l'école Madhyamika fut créée dans l'Inde méridionale environ un siècle av. J.-C., elle se développa pendant les quatre siècles suivants en établissant ses textes sacrés, accompagnés de commentaires et ses principales activités eurent lieu à la grande université de Nalanda. Les autres forment un ensemble énorme auquel s'ajoutent de volumineux commentaires dont une petite partie seulement a été traduite. Il suffira ici de citer le Sutra du Diamant et le Sutra du Cœur, traduits avec commentaires par le Dr Conze dans *Buddhist Wisdom Books*. D'un bout à l'autre de ce texte le thème traité est celui de l'Absolu, de l'Inconditionné, du Vide, un Vide vidé même du vide.

Et pourtant toute cette littérature a un caractère éminemment pratique. Le Sutra du Cœur, comme le montre clairement le Dr Conze, est une analyse des Quatre Nobles Vérités concernant le Sunyatra (le vide). « Le vide, dit-il, n'est pas une théorie mais une échelle qui mène à l'infini. On ne discute pas à propos d'une échelle, on l'escalade... En grimpant nous verrons se dérouler sa signification. »

Grimpons. Que dit la « doctrine » du Vide ? Que toutes choses,

---

1. La « conscience de réserve » est cette conscience d'où jaillit spontanément le monde formel.

toutes formes, tout être, sont dans un état de flux constant. Que rien n'a d'existence « propre », c'est-à-dire que rien n'a une essence séparée qui le rend différent des autres êtres et des autres choses. Que la doctrine du non-moi (Anatta) est vraie non seulement pour votre moi et le mien mais pour toutes les autres choses. Ainsi on a décrit le Vide (Sunyata) comme étant simplement la doctrine du non-moi au nième degré. Dans un monde de dualité relative aucune doctrine ne peut être entièrement vraie, elle ne peut être que partiellement vraie et cette vérité peut être analysée, c'est-à-dire annulée.

Pouvons-nous dire que les choses qui sont là n'existent pas ? Cette table, cette maison, ce paysage, cette doctrine, ce noble idéal... n'existent pas. Pour un esprit qui s'est libéré de l'attachement aux choses des sens, au dehors, et à ses pensées intérieures, il ne reste rien dans l'existence. Hui-Neng n'avait-il pas raison de dire : « Dès le commencement, pas une seule chose n'existe » ? Mais cette négation totale et impitoyable n'est pas seulement négative ; elle implique une complémentarité positive. « La doctrine du Sunyata n'est pas pur négativisme. Elle voit simplement les choses dans leur apparence et ne nie pas le monde des multiplicités. Les montagnes existent, les cerises sont dans tout leur éclat, la lune brille dans la nuit automnale ; mais ce sont plus que des particularités, elles nous intéressent parce qu'elles ont une signification plus profonde, nous voyons en elles *un rapport avec ce qu'elles ne sont pas*. Là est le secret, remarquons-le bien.

Mais il fallait que Nagarjuna s'attaquât aux phénomènes car il fallait appliquer le principe du premier stade du cheminement. « Etre maître de soi », dit Suzuki, « cela veut dire qu'il faut que le chemin soit complètement déblayé et qu'il n'y ait plus d'obstacles pour contrarier le libre cours de Prajna, la Sagesse. La négation opère ce déblaiement. » Nous commençons par comprendre que la plupart de nos pensées ne valent plus la peine que nous nous y attachions. Et pour finir nous voyons qu'il n'y a ni pensées, ni êtres qui pensent ! Ce ne sont que des fantômes.

Les approches du Vide sont multiples. Chacune d'elles est un pas sur le chemin où l'on s'aperçoit que « toute forme est vide et que tout ce qui est vide est forme ». Quand arrive le moment de cette découverte, nous rions. Mais comment arrivons-nous à rire ? C'est que nous devons apprendre à vivre avec déraison, avec ce qui n'a pas de sens. Comme le dit le Dr Conze, dans cette littérature, les contradictions sont empilées les unes sur les autres. « Tout ce qu'on peut dire sur l'Absolu est dépourvu de sens, mais les gens éprouvent le besoin mental de le dire. Le Prajnaparamita sait que l'Inconditionné provoque un état d'intoxication et indique en même temps qu'il faut se dégriser. » Ainsi que nous l'observons par nous même, toute chose conditionnée est ce qu'elle est en vertu de sa relation avec autre chose. Rien n'a d'existence propre, il n'y a pas d'individualité indépendante. Chaque chose est ce qu'elle est par le fait d'être telle — *tathata*. Tathata est donc le monde tel qu'il est, non falsifié par les définitions, non divisible et vide. C'est peut-être le vide universel appliqué aux choses séparées. Si nous dépouillons les choses de leurs prédicats et de leurs adjectifs, ce qui reste est : rien, absolument rien. Chaque chose n'est qu'un conglomérat de prédicats, qui est fourni par nous et sans lequel les choses n'ont pas d'existence. Mais alors ce que nous détachons des choses et des pensées qui n'ont pas de « substance permanente », pas de réalité, nous n'avons pas à les mépriser. Il faut les traiter comme ayant une réalité car nous existons, nous aussi, dans l'illusion de la dualité. La différence réside dans le fait que nous devons apprendre en même temps à exister dans la non-dualité. C'est alors seulement que nous pourrons sagement faire usage de ces choses irréelles.

Le Vide par conséquent n'est pas un cratère à nos pieds, un trou qu'il faut éviter, ni un nouveau dieu qu'il faut adorer sous un nouveau nom magnifique. C'est plutôt une aventure de l'esprit qui aperçoit une nouvelle vision de toutes choses, sans laquelle les choses ne seraient pas ce qu'elles sont. En réalité, comme la Sagesse (Prajna) et la Compassion (Karuna) ne font qu'un (et pas deux) et s'efforcent d'atteindre la perfection, l'Inconditionné, les hommes les appliquent d'après l'idéal supérieur du Bodhisattva. « L'individu devient parfait quand il perd son individualité et se fond dans le grand Tout auquel il appartient ». Ces paroles élevées de Suzuki concernent l'Orient comme l'Occident. Nous devons en effet nous cramponner à ce sentiment naissant de la non-séparation, à cette idée que « toute dualité », comme le dit Hui-Neng, est une « imagination fausse ».

Cette nouvelle prise de conscience ne porte pas de nom. L'Occident découpe la Vérité en morceaux qui, par là même, sont destinés à mourir. Nous étudions l'ontologie, la métaphysique, la philosophie, la psychologie, le mysticisme, la religion, la morale, et toutes leurs subdivisions. Ces études représentent-elles de fausses divisions de l'Indivisible ou les aspects d'une seule vérité ? Nous pouvons, du moins, approcher la vacuité par des paliers successifs qui nous mènent au palais de la Vérité. La science, dans cette analogie, est au rez-de-chaussée de la matière. Ce tableau est construit sur des milliards d'atomes qui, s'ils éclatent, libèrent des molécules, des neutrons, etc... comme les boîtes chinoises qui rentrent les unes dans les autres. Mais si chacun de ces éléments est subdivisé indéfiniment, que reste-t-il, sinon une force ou un mouvement, des courants d'énergie qui produisent l'apparence qui pour nous prend la forme d'un événement ? Ne peut-on pas dire alors que ce tableau n'existe pas ?

Plaçons-nous sur le plan de la philosophie pour manipuler les idées et essayer d'atteindre la vérité dont le bouddhiste dit qu'aucun concept, aucun effort intellectuel, ne permet de l'atteindre. L'École Yogacara, avec son enseignement de l'Alayavijnana, affirme que le monde est « esprit seulement ». Huang-Po y fit écho en disant que « tous les Bouddhas et tous les êtres sensibles ne sont rien d'autre que l'Esprit auprès duquel rien n'existe. » L'Occident est arrivé au même point avec l'école de l'Idéalisme Absolu, que suivent à présent les mystiques. Les parties ne sont rien si elles ne se fondent dans le Tout divin. Ce qui veut dire que ce que nous voyons n'est que vide et illusion.

La doctrine du Theravada — Anicca-Anatta — raconte la même histoire. Rien n'est permanent, tout être change à la vitesse de la pensée qui le voit. « Il n'y a de principe permanent ni dans les choses ni dans les êtres. Si donc il n'y en a pas dans les parties il n'y en a pas non plus dans la totalité. La psychologie joint sa voix au chœur et la profonde analyse de l'Abhidhamma de l'école Theravada pose l'irréalité de tous les phénomènes. L'Occident moderne reprend la même idée. « Tout ce que nous sommes est le produit de ce que nous avons pensé », dit le Dhammapada et l'Occident commence à être de notre avis. On a dit que le Zen était le produit du Bodhidharma et du Taoïsme. S'il en est ainsi, portons encore une fois nos regards sur le onzième chapitre du *Tao Te Ching* :

> Avec l'argile on façonne des vases
> Que nous utilisons parce que
> Rien n'existe dans l'espace.
> On a percé des fenêtres et des portes dans les murs de la maison,
> Ce sont des espaces vides et nous les utilisons.
> Par conséquent nous avons d'une part le bénéfice de l'existence
> Et d'autre part nous faisons usage de la non-existence.

L. C. Beckett, qui suit notre cours de Zen sous le nom de Mme Lucile Frost, compare dans *Neti, Neti* et dans deux autres ouvrages, les découvertes des astronomes et des physiciens modernes à des passages du Sutra Lankavatara, texte classique de l'École Yogacara.

Les maîtres du Zen dans leur déconcertante « logique Zen » parlent d'une pensée qui aboutit, grâce à l'éveil de l'intuition-Prajna, au *mu-shin*, c'est-à-dire à la non-pensée, au non-esprit, qui est l'Esprit même du Bouddha.

Mais le vide lui-même est un extrême et ce qui est complètement vide doit être en même temps complètement plein. Néanmoins l'approche négative selon laquelle tout est vide est plus facile que son contraire, qui pose que tout est plein et que la plus petite des parties est le tout, la totalité. Employez donc, si vous le désirez, l'approche positive où vous voyez le monde thatata tel qu'il est, non falsifié et non divisé par nos pensées et nos définitions. De même que dans le vide total ce qui semble né reste le non-né, de même sous l'apparence des choses le non-né est totalement né. Et les deux ne font qu'un dans la Non-dualité où toutes les choses sont non-deux. Ainsi le vide est vide mais le vide est plein. Ainsi Sunyata — la vacuité — est à l'absolu ce que la faculté « d'être telle » est à chaque chose. Qu'est-ce donc que le non-créé et le créé ? L'Absolu et le relatif — le vide et le plein.

Cette tentative pour jeter un pont entre le connu et l'Inconnu paraît-elle trop difficile ? Cet énorme effort mérite d'être fait pour ouvrir l'œil de Prajna et voir que ce tumulte bruyant qui nous entoure est en réalité l'esprit du Bouddha en action. Le Dr Suzuki sait de quoi il parle quand il dit : « La contradiction est si profondément enracinée dans la vie qu'il est impossible de l'extirper tant qu'on n'a pas survolé la vie d'un point supérieur à elle-même. Lorsqu'on est parvenu à ce stade, le monde du Gandavyuha (la vacuité) cesse d'être un mystère, un royaume dépourvu de forme et de matérialité, parce qu'il dépasse ce monde terrestre, ou plutôt « tu es ce monde » et il y a une fusion parfaite entre les deux. »

DU HAUT DE LA JETÉE
DE BRIGHTON

Penche-toi sur la balustrade de Brighton.
Observe les vagues qui s'enflent et retombent
Solidaires de leurs voisines.
Regarde sur celle-ci s'amonceler l'écume
De l'eau blanche et bleue qui danse joyeusement
Sans but sur la mer indivisible.
Par sa forme, sa dimension et sa couleur
Elle a sa beauté propre. Elle meurt, se dissout,
Et sa nature liquide, sa blancheur bleue
Retourne à la vaste identification.

Qu'est-ce donc qui l'a faite ainsi ?
Quelle marée obéissant à la lune, quelle brusque poussée de l'océan
Et quel ciel mouvant s'unirent
Dans un jaillissement de pouvoir incertain
Pour créer cette petite vague éclairée par le soleil sur une mer qui danse ?

Et moi, observateur réfléchi,
D'où est-ce que je viens ?
Un des millions d'instants nés où il n'y avait rien,
Voilà ce que je suis.

Mais qui est celui qui parle ainsi ?
Qui est celui qui contemple à la fois l'observateur et la mer ?
Il connaît cette petite vague qui porte son nom et revêt sa forme ;
Content de se fondre joyeusement, il sait
Qu'il n'est pas un être séparé. Alors d'où vient la mer ?

Peu importe, dans l'esprit libéré
Il n'y a pas de vague et pas de mer !
Pas de soi pour dire au non-soi qu'il n'existe pas !
Il n'y a que la jetée qui danse, la vague heureuse et moi !

8

VIVRE DANS LE PRÉSENT

Vivre dans le présent, cela implique la notion de temps et fait intervenir les éléments constitutifs du temps, c'est-à-dire le passé, le présent et le futur, ainsi que la loi de causalité qui les régit. Ce thème, vivre dans le présent, peut être considéré sous trois aspects.

Sur le plan supérieur il correspond, bien entendu, à la célèbre phrase, « l'Éternel Présent », qui fut développée par le plus grand esprit de l'Occident, Eckart. Il n'aurait pas accepté la parole Zen, « un moment de la pensée », qui se situe aussi au-delà du temps humain et qui reste pour la plupart d'entre nous un simple concept. Il y a un moyen terme : nous n'avons pas besoin de nous inquiéter d'autre chose que du présent, ni de connaître autre chose, bien que notre conception du présent soit une illusion. Il y a enfin un troisième aspect, le temps est notre *dharma*, au sens bouddhiste du devoir, dans le vaste champ des causalités où nous passons nos jours. De ce point de vue, c'est la tâche qui s'impose à nous : en d'autres termes, c'est le « bien agir » qui recouvre les 3e 4e 5e et 6e sections de la Noble Voie Octuple du Bouddha.

Les moyens d'acquérir la connaissance directe de la doctrine, de voir le monde tel qu'il est, sont au nombre de deux, seulement nos autres facultés doivent faire usage de cette connaissance acquise. D'abord par les sens. Si je plonge ma main dans l'eau bouillante, j'ai l'expérience directe du fait et je réagis aussitôt. Il en est de même pour tout ce que nous voyons, entendons, goûtons ou sentons. C'est l'expérience directe. En dehors de l'expérience sensorielle, l'intuition, faculté que méprise la science, mais que l'Orient nomme buddhi, est le seul moyen de connaissance directe. Grâce à cette expérience directe nous voyons les choses telles qu'elles sont au-delà des sensations. Entre la perception sensorielle et l'intuition il y a place pour la « digestion » de l'expérience acquise. Il n'existe pas de « pensée directe » qui puisse nous apporter quelque chose de nouveau, sauf les idées et les sentiments nouveaux que nous révèle notre expérience totale. Les étudiants de Jung se rappelleront le schéma des quatre facultés de l'esprit, dans lequel l'intuition et les sens font face aux processus « digestifs » de la pensée et de l'émotion.

Cette curieuse connaissance est importante pour agir convenablement. La réaction au besoin des sens doit être simple et immédiate. Comme le dit un maître Zen, « quand j'ai faim, je mange. Quand je suis fatigué, je dors », sans aucune préparation mentale. Si le coucher du soleil est beau, pourquoi ne pas l'admirer, sans gâcher ma joie par des réflexions ou des descriptions qui sont destinées aux autres ou à moi-même ? La conscience intuitive, à l'échelon supérieur du spectre mental, exerce elle-même sa propre autorité et si des pensées surviennent, ce sera aux dépens de l'expérience primitive.

Or l'homme est double, c'est un dieu dans un corps d'animal. L'animal existe, de toute évidence, et il est nécessaire de ne pas l'ignorer. La présence du dieu est moins manifeste, mais l'animal qu'est l'homme, distinct des êtres moins évolués, a, au-delà des sens, des pensées et des sentiments, un élan vers le Dieu intérieur qu'il sent par intuition. C'est le principe du Bouddha : « Regarde en toi-même, tu *es* Bouddha », tu es une parcelle de l'Incréé, de l'In-formé. En apprenant à reconnaître cette lueur de Bouddhéité, nous la voyons aussi chez les autres et nous percevons notre commune divinité. Mais tant que nous ignorons le principe immortel de ce partage nous luttons, individuellement et collectivement, comme des animaux et nous en subissons les conséquences. Le progrès consiste à ôter le voile qui nous empêche de voir ce fait qui est de première importance.

Il y a très longtemps qu'est né l'animal-dieu qu'on a appelé le pèlerin de l'éternité et il s'écoulera encore beaucoup de temps avant qu'il retourne à « la maison du Père ». Mais, d'après notre notion du temps, l'Incréé *est*. Tout le reste se meut dans le cycle infini du devenir. La plupart d'entre nous se font une idée très vague du but. Ce qui compte c'est l'instant, le moment du Présent reflété par la pendule. Cela nous suffit car il représente une très nombreuse série de moments qui sollicitent notre attention toutes les vingt-quatre heures.

Tout cela est d'une importance capitale au sujet du Présent. Le Bouddha a refusé de parler de l'Ultime fin : il a indiqué un chemin et n'a cessé de faire état du voyageur qui cherche sa voie. Pour lui le chemin, et chacun des moments du chemin, constitue le but. Bien sûr, il est vrai que nous pouvons passer notre temps, ici, dès à présent, à suivre ce chemin. A l'instant même c'est le présent. Demain sera le présent. Nous ne sommes jamais que dans le présent *hic et nunc*. Avez-vous jamais été ailleurs qu'ici ? Avez-vous jamais fait autre chose que ce que vous faites à présent ?

Nous *pouvons* donc travailler ici, dans le présent, en déplorant que si peu de gens consentent à le faire. Pourtant ce fait a une réciproque qui est paradoxale : il n'y a pas de temps présent. Vous êtes entré dans cette chambre dans le passé. Le début de ma conversation est déjà du passé. Du passé, le souffle de votre respiration. Vous rentrerez chez vous, ce soir, c'est le futur. Où donc est ce présent qui n'est ni le passé ni l'avenir ? Ce n'est qu'une notion, une habitude commode pour penser et qui fournit un contexte à nos actions — maintenant.

Le bouddhiste a tout son temps dans le présent. Nous ne sommes pas nés en même temps que notre corps et nous ne mourrons pas avec lui. Nous n'obtiendrons pas l'Illumination dans un mois ou dans deux mois, ou dans un an ou dans deux ans, bien que nous puissions voir parfois jaillir une petite étincelle qui nous fera mieux comprendre ce que ce mot veut dire. Nous pouvons par conséquent prévoir en détail les prochaines mesures que nous aurons à prendre et auxquelles ne pourront s'opposer ni dieu ni le diable. Ce qui se recrée jour après jour est sans importance pour le sage. Mais la réincarnation, chaque jour, à chaque moment et de vie en vie, est un nécessaire corollaire du Karma (loi de cause à effet dans le domaine mental) et elle tient une grande place dans les Écritures bouddhistes, comme le fait aussi l'enseignement religieux en Orient, depuis des temps immémoriaux.

Tandis que nous avançons sur ce chemin, clairement défini mais difficile, tenons-nous bien droit, dans une attitude « présente », si j'ose dire. La plupart d'entre nous s'appuient sur quelque autorité, un personnage ou un livre. Si on nous enlève brusquement ce soutien, nous tombons la tête la première. Mais il ne faut pas non plus se pencher en arrière, sur des souvenirs du passé, en regrettant que les choses changent trop rapidement. Il est également absurde de se pencher sur le côté et de compter sur ses amis. Le bouddhiste suit la Voie Moyenne, il oscille d'un côté et de l'autre, entre la sympathie et l'antipathie, l'espoir et la crainte et chaque jour il devient un peu moins hésitant.

En résumé, nous devons accomplir notre cheminement en toute indépendance ; néanmoins nous dépendons les uns des autres. Aucun de nous ne marche tout seul. Chacun est influencé par tout ce que font les autres, où qu'ils soient, dans ce monde. Nous formons un ensemble et c'est folie de penser qu'il n'en est pas ainsi. La plus grande des illusions est celle de la séparation, cette hérésie qui nous aveugle et nous fait croire que nous avons un moi distinct, une identité personnelle. Tous ensemble nous ne faisons qu'un, mais nous vivons avec les autres dans des rapports qui changent perpétuellement. D'une part, nous avons à nous occuper de nos propres affaires, ce qui est un travail à plein temps ; d'autre part, nous avons conscience des besoins des autres. Toute souffrance est, à certains égards, *ma* souffrance et je l'ai aggravée par ma propre sottise. Par conséquent je dois essayer de l'adoucir et de la guérir autant que je le peux. Il n'y a là aucun sacrifice. « Le sacrifice est une chose qui n'existe pas, il y a seulement l'occasion de rendre service ». Toutes les écoles bouddhistes sont d'accord sur ce point, bien que l'homme idéal de l'École Theravada, l'Arhat, et le Bodhisattva du Mahayana, soient très différents. En réalité ils se complètent. Quel est donc l'esprit que je puis diriger, améliorer et conduire à l'illumination, si ce n'est le mien ? Mais comment monter cette longue côte qui mène jusqu'à l'Everest de l'esprit, si je ne m'occupe que de « moi » ? Et bien qu'il semble très noble de vivre pour le bien de l'humanité, sans penser à sa propre illumination, peut-on dispenser un tel bienfait lorsqu'on est encore plongé dans les ténèbres de l'ignorance du cœur ?

Commençons à appliquer ces principes. D'abord il faut apprendre à accepter volontiers et complètement ce qui nous arrive. Pour le moment nous sommes irrités par les gens ou les événements qui ne nous plaisent pas, nous nous révoltons de ce qui provoque la souffrance. Nous projetons, comme disent les psychologues, sur autrui le blâme que nous méritons nous-même et, d'une manière générale, nous refusons d'accepter les conséquences de notre déraison. Pourtant il est juste que nous souffrions comme nous le faisons ; sinon l'univers volerait en éclats. En un mot, nous devons commencer à faire face à l'idée la plus difficile du bouddhisme, à savoir que tout est harmonieux, que tout se déroule dans un ordre parfait. Ainsi, et ainsi seulement, devons-nous envisager chaque situation, telle qu'elle se présente. Si nous souhaitons simplement qu'elle soit différente, comment pourrons-nous faire ce que cela exige et le bien faire ? Il faut apprendre à taire nos perpétuelles sympathies et antipathies, nos doutes et nos critiques. Il faut apprendre à dire OUI à tout, même si cela paraît insupportable et affreux ; les hommes en sont les auteurs, et nous sommes des hommes. Si telle tâche se présente, accomplissons-la, au lieu d'aller demander à notre voisin de le faire ou de lui expliquer ce qu'il *doit* faire. Mais avant d'agir, prenons soin de voir si ça nous regarde. Combien de personnes, pour échapper à des conflits intérieurs, s'inquiètent d'une guerre qui a lieu à l'autre bout du monde. Nous sommes tous en guerre et pour longtemps encore. Tous les esprits seront en guerre tant qu'on n'extirpera pas la cause, c'est-à-dire la dualité. Les « contraires » sont comme nous-mêmes en perpétuelle opposition. Seul, celui qui s'élève au-dessus de ces tensions, qui accepte simultanément et spontanément les facteurs d'opposition, peut acquérir la paix de l'esprit, à quoi, dit-on, aspirent tous les hommes.

Car la paix est équilibre et harmonie. C'est la loi totale, une loi intelligente et vivante, que l'Orient appelle le Karma et que celui-ci s'efforce de maintenir. Examinons une fois de plus le Karma et son corollaire, la réincarnation, non sous forme de comptabilité cosmique mais en termes d'harmonie cosmique détruite et restaurée. L'Absolu originel est né dans un cycle du devenir d'une portée inconcevable, et il est manifestement UN. Étant le seul, il est une harmonie parfaite. Mais lorsque surgirent un million de couples opposés, l'Absolu est devenu Deux et ce Deux a donné naissance à Trois qui est la multiplicité que nous connaissons ; or l'homme a gardé son libre-arbitre s'il ne l'a pas enchaîné par une action antérieure. Avec ce libre-arbitre il se brûle aux « trois feux » de la haine, de la convoitise et de l'illusion. L'illusion étant cause de tout. Mais si le Karma est harmonie, l'homme qui rompt cette harmonie en paie la rançon. N'est-ce pas justice ? Celui qui casse les verres les paie, dit-on. Eh bien ! que celui qui a rompu l'harmonie en assume les conséquences. Et s'il appelle cela souffrir, c'est son affaire.

S'il en est ainsi, tout ce qui arrive, arrive « bien ». Et si vous voulez améliorer les choses, ayez recours à votre intelligence.

> Oh ! Amour, si nous pouvions, toi et moi, conspirer
> Pour changer entièrement ce fâcheux ordre des choses,
> Ne briserions-nous pas tout en éclats et alors,
> Le referions-nous selon le désir de notre cœur ?
>
> Omar Khayyam.

Pourquoi ne pas essayer ? Personne ne nous en empêche.

Mais si, du point de vue cosmique, tout est ordonné et satisfaisant, il est bon que chaque chose soit faite le mieux possible. Puis-je citer un exemple d'acte parfait ? Vous vous dirigez vers la gare en compagnie d'un ami. Devant vous quelqu'un laisse tomber son parapluie, vous le ramassez et le remettez à l'intéressé. Puis vous poursuivez votre marche en parlant avec votre ami et au bout de deux minutes vous avez oublié ce petit incident. C'est un acte parfait — ni motif, ni désir de gain, ni souci d'égocentrisme. Et vous l'oubliez immédiatement. Quelle joie si nous pouvions accomplir chacune de nos actions de cette manière.

Le devoir n'est pas toujours clair et net ; nous nous demandons parfois, entre deux directions, laquelle il faut prendre.

Puis-je parler de ma propre expérience ? Comme on retire une épine avec une pince, dans le problème vous pouvez supprimer un facteur, ce problème c'est le moi. Vous voyez bien ce que vous aviez à faire, mais votre moi voulait le contraire. Effacez votre moi et vous y verrez clair. Ce que vous ferez alors, c'est votre affaire et c'est votre Karma.

Aucune action ne peut être bonne si le motif en est mauvais. Je crois fermement que le pourquoi de chacun de nos actes est le plus important des facteurs. A long terme toute action qui contribue au bonheur commun est bonne, si l'on se place au point de vue de la finalité de l'univers, et mauvaise si l'on poursuit des buts personnels. Pour nous, il est impossible de viser aussi haut, mais il est bon d'évoquer la pierre de touche de la qualité de notre conduite.

Lorsque nous agissons consciemment et avec « attention », comme disent les Écritures bouddhistes, pouvons-nous abandonner cette action ? Devons-nous la soumettre à une longue autopsie en regrettant « de ne pas avoir agi différemment » ? Ou pire encore, gonflerons-nous vaniteusement le ballon du moi ? S'il contient des éléments du moi, les résultats seront bons ou mauvais, selon votre manière de les apprécier, mais s'il n'en contient pas vous n'aurez pas de dette karmique à payer. « Rien ne résulte de l'acte parfait ». Pourquoi ? Parce qu'il n'y avait pas d'acteur.

Vous constaterez que vivre dans le présent abolit à la fois les regrets du passé et la crainte du futur. Qui regrette et qui a peur ? Il peut être utile de répondre à cette question, mais soyons sensés. Nous ne sommes pas veules parce que nous vivons joyeusement dans le présent. Si nous tirons des plans pour l'avenir, c'est parce que le moment présent est propice. Nous n'avons pas besoin de prévoir, de redouter l'avenir, ni de regretter le passé.

Maintenant que nous apprécions la valeur de l'instant, assumons la prochaine étape de la longue marche qui nous mènera de là où nous sommes jusqu'à l'endroit où nous voudrions être. Ce long intervalle pendant lequel nous ne pouvons qu'imaginer vainement ce que sera la fin. De toute première importance est notre tâche présente, quel que soit ce que nous estimerions devoir faire par la suite. C'est ainsi, et ainsi seulement, que nous atteindrons l'Au-Delà, d'abord par étapes successives, puis définitivement. Car ici, plongés dans le devenir au sein du Samsara, nous découvrirons le Nirvana et à ce moment là ce sera pour nous le présent.

9

LE ZEN À LONDRES

En 1967 apparurent les difficultés d'adaptation des méthodes japonaises de l'enseignement du Zen aux conditions et aux besoins de la mentalité anglaise. Il devint nécessaire d'exposer des formules avec précision. La première réaction fut celle d'un Anglais qui avait passé des années dans un monastère japonais et qui vint dire que le cours de Zen que je dirigeais depuis 1930 sans y apporter de changement n'était pas un véritable enseignement Zen. Je répondis qu'il avait peut-être raison car je ne m'étais jamais inspiré du Zen Rinzai qui utilise le *Koan*, problème qu'on ne peut résoudre par le raisonnement et qui a pour but de développer l'intuition, exercice qui se fait sous la surveillance d'un maître. Je n'avais pas abordé non plus le Zen Soto auquel peu d'étudiants, jusqu'ici, se sont intéressés.

Mais cette critique m'incita à faire un examen de conscience devant la classe, qui me pria d'en publier le résultat dans le journal bouddhiste, *The Middle Way*, et sous le titre de « Le Zen à Londres ». Il n'est peut-être pas inutile de le reproduire ici, à la fin des chapitres sur le bouddhisme Zen et comme avant-propos aux chapitres qui suivent.

Je me suis donc laissé dire que ce cours de Zen auquel je n'ai à peu près rien changé depuis 1930 n'était pas véritablement un cours de Zen. C'est peut-être vrai et je ne prendrai pas la peine d'en discuter. Je n'ai pas traité du Zen Rinzai qui implique la pratique du Koan, qui est très particulière. Ni du Zen Soto, car je le connais trop mal pour pouvoir l'enseigner.

Qu'enseigne-t-on ?

Alors qu'est-ce que j'enseigne ? Ma réponse est celle que feraient tous ceux qui enseignent comme moi la vie intérieure

— et la malchance des étudiants veut que leur Karma ne leur permette pas d'avoir un meilleur maître. Mais, stimulé par l'observation qui m'avait été faite, je me suis mis à réfléchir. Ce que j'enseigne ? Pour moi, la réponse est assez claire et j'accepte volontiers de la publier puisque la classe me le demande.

Je ne préconise pas à Londres l'usage des traditions des écoles Zen japonaises, bien que j'admire profondément le parti pris de la « non-méthode » des anciens patriarches de la Chine qui s'adressaient à chaque élève personnellement selon ses besoins. Et j'admire la manière virile et violente qu'employait le maître pour que chacun découvrît la Lumière par ses propres efforts, en dépit du désir qu'avait l'élève d'être « sauvé » par les Écritures, les sermons et par un esprit plus évolué que le sien.

Le Zen, qu'est-ce que c'est ?

Pour moi le Zen est un état de conscience qui a dépassé la dualité. Cela, je le sais, depuis longtemps ; d'autres que j'ai rencontrés ainsi qu'un grand nombre de ceux qui ont suivi mon cours le savent aussi. C'est une expérience qui n'a rien de mystérieux ni de particulièrement rare, quoique la « grande expérience » soit, elle, exceptionnelle. Mais, petite ou grande, c'est une chose qui ne laisse aucune place au doute, qu'on ne peut oublier et qui est incommunicable par des moyens normaux. Les « aperçus » de la non-dualité qui surviennent souvent sans effort conscient, sont le commencement de la voie Zen, ils indiquent simplement au chercheur qu'il est sur la bonne voie, rien de plus. Car le but est le plein développement de l'homme total, sur ses sept plans, et le maître Zen lui-même a encore un long chemin à parcourir.

Partir à la recherche pour le bon motif.

Comment faire l'expérience de la non-dualité ? Je répondrai : en la recherchant. Pourquoi la recherchons-nous ? L'intention est plus qu'une nécessité primordiale ; grâce à elle on franchit déjà la moitié du chemin, car celui dont l'intention est pure est en grande partie libéré de son moi et « la Porte sans porte » s'ouvrira facilement. Je crois que sans concentration de pensée, sans volonté forte et sans vision intuitive on n'arrivera jamais au Zen, et si l'on y arrive, le résultat sera désastreux, en dépit des efforts, si l'intention première n'était pas ce qu'elle devait être. Que Dieu aide celui qui cherche à apporter un harnachement spirituel à des buts trop humains. Il sera écrasé par toute la force de l'Incréé, par l'Absolu.

Épictète, l'esclave stoïcien, s'interrogeait sur « la portée de son but moral ». Ma réponse est la suivante : CELA que le Bouddha nommait l'Incréé, le Non-né, l'In-formé, forme manifestement un tout indivisible. La force vitale, sous toutes ses formes, est une et indivisible. Il en résulte que personne ne peut à lui tout seul atteindre à la Sagesse. Cette Sagesse acquise, il l'applique avec une compassion infinie à tout ce qui vit — et rien ne meurt jamais. La Sagesse et la Compassion forment une unité à deux visages, c'est l'enfant duel de CELA. Il s'ensuit que, comme le dit *The Voice of the Silence*, « la première démarche consiste à vivre pour faire du bien à l'humanité ». Je crois que cela est absolument vrai et j'essaie de mettre ce principe en pratique. L'intention, l'intention bonne, est de se mettre au service de tout ce qui vit, dans les limites des chaînes karmiques et des occasions qui se présentent.

Trois avertissements.

Plaçons-nous au début, c'est-à-dire à l'endroit où nous nous trouvons, compte tenu de ce que nous sommes et regardons la route. Trois avertissements nous sont donnés auxquels il nous faut prendre garde. D'abord nous ne progresserons que par nos propres efforts. « Faites vous-mêmes votre salut avec diligence », dit le Bouddha. Ni les textes sacrés, ni les livres, ni les cours, ni les maîtres ne nous donneront ce que nous n'avons pas, ni ne découvriront pour nous ce que nous possédons déjà. Aucun sauveur ne fera un geste en notre faveur. Nous devons fouler de nos pieds toute la longueur du chemin, les guides nous indiquant ce qui reste à parcourir, mais nos bras tendus doivent être prêts à aider un frère plus jeune sur ce sentier aride et balayé par le vent, qui est celui de notre développement personnel.

Ensuite, le voyage sera très long. Ce n'est pas en quelques années que nous atteindrons avec certitude un très haut sommet et pour cela il nous faudra peut-être plusieurs vies. Qu'importe ? L'illusion du temps est notre servante maintenant. Le second avertissement nous recommande donc la patience. Sur cette longue route, pas de raccourcis, pas de salut grâce à l'intervention d'un bodhisattva, ni de divertissements de pseudo-Zen. J'accepte la doctrine de la réincarnation, au simple sens que lui donnent les textes sacrés, comme un voyage que l'on poursuit de vie en vie sur terre, où l'on apprend jour après jour les leçons requises avec des périodes de sommeil, pendant lesquelles on dort et on « digère » l'expérience. Je suis donc patient au sujet de mon développement et de celui de mes amis et j'estime que pour vaincre une illusion ou pour avoir un ou deux aperçus au-delà de la dualité il faut bien compter une cinquantaine d'années.

Le troisième avertissement est tout aussi clair : si le but final est l'abolition de la souffrance, celle-ci ne vous sera pas épargnée chemin faisant. C'est inévitable parce que le moi refuse de mourir et à mesure que le pèlerin transcende son moi, il assume la peine des autres, à un point qui serait insupportable si cette métamorphose ne lui apportait une joie croissante de l'esprit et du cœur, avec le pouvoir divin qui conduit au bien et qui s'installe quand le prétentieux moi disparaît.

Besoins pour le voyage.

Quels sont les besoins exigés par le voyage, en dehors de l'intention pure ? Je pense qu'il faut connaître le bouddhisme de base car je crois toujours, ainsi que je l'ai écrit dans *Zen, a Way of Life*, que le bouddhisme Zen a ses racines dans le Theravada, qu'il se développe dans le Mahayana pour s'épanouir dans le Zen. De quoi avons-nous encore besoin ? D'une grande puissance de pensée et d'un esprit de concentration. Comment pourrait-on briser les limites de la pensée et les transcender sans avoir épuisé ces limites ? Le Zen est né là où la pensée prend fin ; il ne se substitue pas à elle. Il en est de même de la volonté. La pensée est une machine, la conscience utilisant une de ses facultés sur l'un de ses multiples plans, mais pour la diriger il faut accomplir le travail qui lui incombe et une volonté incessante. « La volonté c'est l'homme et le Zen fait appel à elle », dit Suzuki. En somme, le Zen exige qu'on ait du cran, beaucoup de cran. Et finalement nous avons sûrement besoin de nous faire une idée, si vague soit-elle, de l'au-delà. Au-delà de la pensée, et au-delà de toute dualité, au-delà de la science et de son horrible rejeton, la technologie, qui est non seulement enfermée dans la dualité, mais qui ignore presque totalement les trois quarts des domaines où l'humanité est destinée à avoir des activités.

Progressivement ou soudainement ?

Atteindra-t-on le but progressivement ou soudainement ? Je ne puis répondre à cette éternelle question car je ne vois pas de différence à établir. *Bien entendu*, les années et les vies de préparation sont progressives, c'est-à-dire qu'elles mènent de palier en palier ; *bien entendu*, chaque lueur de l'Absolu, chaque percée vers l'Au-Delà est soudaine car elle est hors du temps. Nous marchons dans la mer, jusqu'aux chevilles, jusqu'à la taille, jusqu'à la poitrine, puis tout à coup, nous nageons et nous sommes immergés. Par une journée étouffante, la terre et les nuages sont chargés d'électricité négative et positive. Il a fallu du temps pour se constituer une force puissante, mais la décharge se produit brusquement, comme un éclair. Nos yeux sont fermés, finalement ils s'ouvrent et nous « voyons ». Ouvrons-les tout grands pour voir non pas le ciel mais le monde qui nous entoure et qui remplit et fait briller l'expression même du Zen.

Connaissance de Soi.

Je conseille à celui qui part en quête du Zen de commencer par acquérir la connaissance de l'entité complexe de celui ou de celle qui découvrira le Zen. Cette connaissance est à notre portée et nous n'avons pas besoin de manuel. Observez votre corps, votre condition physique — comme, lorsque vous avez froid et que vous êtes fatigué, vous vous plongez dans un bain très chaud. Puis élevez votre conscience sur le plan psychique, en admettant que vous ayez une vague notion de ce qu'est ce vaste domaine. Si vous ne savez rien à ce sujet, instruisez-vous car c'est le véritable siège des sens, la source de la maladie et le lieu d'utiles facultés telles que la télépathie. C'est aussi le lieu des « prémonitions » qu'il ne faut pas confondre avec la connaissance directe et intuitive de l'Au-delà. Et celui des émotions, quelles qu'elles soient. Kama, les désirs inférieurs, sont, nous dit-on, cause de souffrances. Peut-on réfléchir sans évoquer les appétits insatiables, les espoirs, les craintes et sans souhaiter que les choses soient autres que ce qu'elles sont ? S'il s'agit d'idées concrètes, des affaires, par exemple une liste d'achats, un bilan, n'impliquent rien de physique, de psychique ou de sentimental. Mais élevez-vous plutôt au plan de la pensée abstraite, des principes généraux, des lois cosmiques, de la vision des philosophes, des hommes d'État, ou de ceux qui se consacrent à l'étude de la vie intérieure. Ce double aspect de l'esprit est parfaitement clair, l'un concerne le savoir, l'autre la sagesse, la synthèse, l'idéal et une prise de conscience de la non-différence entre les choses.

Lumière de l'Intuition.

Pourtant toutes ces fonctions s'accomplissent dans le champ de la dualité. Pour atteindre le Zen il faut accéder au pic le

plus élevé, à des ondes de très haute fréquence. Peu nombreux sont ceux qui parviennent jusque-là, et même si l'on
capte ces longueurs d'onde il est rare d'obtenir une réponse
immédiate. Mais, arrivé à ce stade, j'estime, pour ma part,
qu'on comprend le sens de la route à suivre, cette route qui
est la mienne et que j'essaie d'indiquer. Ce mouvement est
une irradiation, la lumière de buddhi, l'intuition, « la percée ».
Le buddhi semble avoir deux fonctions. D'une part c'est un
poste récepteur qui enregistre la force vitale de l'Absolu, ou
Dharmakaya — l'incréé — la vacuité, ou tous les noms étant
impropres, CELA, comme l'appellent les Hindous. Ainsi que
des millions de fleurs reçoivent le soleil, les lampes électriques
brillent avec une force qui n'est pas la leur. Le buddhi trans-
met cette force à l'intelligence (Manas) dans la mesure où
l'instrument est capable de la recevoir. C'est du moins ce qui
m'arrive. Cet événement se produit progressivement et pendant
tout le temps que je passe à étudier, à méditer et à lutter avec
les principes profonds de la vie à tout moment de la journée.

Alors, soudain, oui, soudain, m'arrivent des « lueurs » fur-
tives d'un monde dont nous ne savions rien, d'un Ici éternel,
d'un Présent où « rien de spécial » ne se produit mais qui est
exaltant ; où chaque chose « en tant que telle » ne se distingue
pas des autres, où la forme est vide et le vide lui-même est
forme, où les différences n'existent plus que comme aspects
de la totalité et où la vie dans ses formes changeantes est un
grand cycle rythmique du devenir, naissance, vieillesse et mort,
jusqu'à ce que l'univers retourne au sein de l'Incréé d'où il
vient. Ne voit-on pas ce phénomène ici à Londres à l'arrêt
de l'autobus, au bureau et au lit ?

C'est ce qui m'a été donné d'apprendre au long des trente-
cinq dernières années. Toutes les écoles bouddhistes cherchent
le développement de l'esprit ou Bhavana, auquel j'associe
le développement du caractère car il comprend aussi la morale
bouddhiste ou Sila, ainsi que l'intention pure, à peine effleurée
dans la voie octuple, qui est la compassion inséparable de
la sagesse. La philosophie des stoïciens est très proche de cet
idéal où la conception du Dharma-Karma — ordre cosmique
et loi de causalité — détermine et guide le principe moral. Il
conduit parfois au Zen.

Cet enseignement manque-t-il de chaleur ?

C'est l'avis de certains. Je me demande ce qu'ils veulent
dire. Le contraire de « trop intellectuel » ? Plus sentimental ?

Que les dieux nous en préservent ! Ils voudraient y trouver davantage de piété ! ce qui pour beaucoup, j'ai le regret de le dire, signifie simplement qu'ils souhaitent une tiède et douillette tranquillité et des cérémonies rassurantes et « chaleureuses ». Estiment-ils qu'il est trop pénible de développer son intelligence ? Mais existe-t-il un mystique dans l'histoire du monde dont l'intelligence ne fût pas de premier ordre ? Veulent-ils mettre l'accent sur le « cœur », sur la compassion ? Nul n'avancera d'un pas sans cela car c'est à la base de tout ce que je défends. Veulent-ils des rites et des cérémonies ? Ce sont des pratiques ou *do* de grande valeur, disent les Japonais. Si cet ouvrage est un mélange de Jnana et de Yoga Karma, il y a ceux qui appartiennent au Yoga Bhakti (idéal spirituel), vrai chemin de la Dévotion. Mais d'après ce que j'en sais, ce mouvement exige une conception du but mystique, représenté sous une forme humaine comme le maître bien-aimé ou comme un idéal très éloigné. Et là aussi, intelligence et volonté sont requises. Que ceux qui trouvent que le Zen Rinzai ou le Zen Soto sont trop « froids » suivent parallèlement une voie de leur choix.

Nécessité d'une discipline.

Mais l'enseignement que je défends exige une discipline, un contrôle de soi-même, car le développement complet de la conscience est harmonie. Il comprend à la fois l'étude et la méditation. L'étude, travail intensif et acharné sur un ouvrage qui éveille l'intuition, textes sacrés ou écrits d'un auteur comme Suzuki, par exemple. La méditation, une concentration sur un thème donné, de préférence à l'écart du bruit et de l'agitation. Assis ou non, peu importe. A mesure que le temps passera, l'élève choisira lui-même les conditions les plus propices.

J'ai rendu compte, et trop longuement peut-être, de ce qui se fait dans mon « cours de Zen ». S'il ne correspond pas au véritable Zen, nous lui trouverons un autre nom. Mais en attendant nous avons du pain sur la planche. Un travail énorme et passionnant qui nous occupe précisément vingt-quatre heures par jour. Continuons.

10

REMARQUES SUR PRAJNA, DHYANA ET SAMADHI

La compréhension de ces termes et les rapports qu'ils ont entre eux ont une importance essentielle pour l'étude du Mahayana et spécialement du bouddhisme Zen. Pour bien préciser mes idées, j'ai rédigé les notes suivantes d'après les écrits et les conférences du Dr Suzuki et les lui ai présentées à Londres. Il y a apporté deux petites corrections mais a approuvé le texte qui paraît ici.

Prajna — la Sagesse — est la prise de conscience soudaine et immédiate du monde de la non-dualité. Elle est au-delà du temps, c'est un premier aperçu de l'Absolu. Satori est la conscience qui est au-delà de la différenciation et de la discrimination.

Le mot Prajna, en chinois Chih Hui et en japonais Chi Ye, est composé étymologiquement de Chi, perception ou intelligence, et de Ye, intuition perception intuitive.

Dhyana (en pali : jhana) est une forme de méditation dans le temps et dans la dualité. Elle est en grande partie négative car elle a pour objet d'arriver à un état mental libéré, à l'équilibre, à la sérénité. Elle apaise les tempêtes de la pensée et les émotions de la vie quotidienne. « Quand l'esprit est inquiet, il se produit une multiplicité de choses ; lorsqu'il se calme, elles disparaissent (*Awakening of Faith*). Dhyana apporte l'apaisement, opère un nivellement des excès de torpeur et de sur-activité. Le contrôle de soi-même est décrit par Patanjali, strophe ɪ, comme « un obstacle aux modifications du principe de la pensée. »

Dhyana conduit à Samadhi, le plus noble des quatre jhanas, ou des quatre transes, c'est un état de conscience orienté vers la réalité, dans lequel il n'y a plus aucune discrimination entre le sujet qui connaît, le fait de connaître et le connu et qui n'est pas loin d'atteindre l'expérience de Satori et la percée dans l'Absolu.

Étymologiquement, les Chinois donnent deux versions des idéogrammes utilisés pour Samadhi — soit une balance qui marque l'égalité du caractère, soit une ligne régulière, non sinueuse et tourmentée, qui indique l'acceptation des choses telles qu'elles sont (tathata).

Hui Neng, le sixième patriarche, fut le premier à distinguer nettement Prajna de Dhyana, celui-ci étant la fin d'un mouvement graduel dans le monde de la dualité, celui-là la découverte indescriptible et soudaine du monde de la non-dualité. Dhyana même associé à Samadhi n'atteint jamais Prajna.

Bien que Prajna et Dhyana soient très différents puisqu'ils appartiennent, l'un au monde de l'Absolu, l'autre au relatif, on ne peut les dissocier. Prajna sert de base à Dhyana et sans Prajna il n'y aurait pas de Dhyana. Ce sont deux aspects d'une conscience qui devrait être une.

Si nous considérons Samadhi [1] comme une ligne régulière, le « moment » de Satori, le moment de la conscience transcendante coupera cette ligne à angles droits. Nous nous représentons une série, a, b, c, d, etc., qui est le fruit de notre illusion. En regardant a ou b, nous arrêtons le flux de la vie et donnons à cette partie de la ligne le nom de a ou de b. Mais la série, si étendue soit-elle, n'atteint jamais l'infini. Alors où donc trouvons-nous l'infini ? Il doit être ici et maintenant, dans la série elle-même. Des profondeurs de l'inconscient (absolu) surgit l'éclair de Satori, qui *doit* se produire brusquement, tel un saut, quelle que soit la durée de la préparation. Cet instant est hors du temps. Voir une chose du point de vue de Satori, de l'au-delà, c'est ne voir qu'une partie, mais c'est voir toutes choses, y compris leurs contraires (jijimuge). C'est voir le tout. Lorsqu'on a vu une chose telle qu'elle est, c'est-à-dire vide et non falsifiée par nos critères et nos définitions, à ce moment là on a vu toutes les choses.

La préparation à l'illumination est par conséquent nécessaire et forcément progressive, mais cet instant arrive brusquement, c'est un saut dans l'absolue non-dualité. On parvient à Samadhi, la contemplation de la réalité, par Dhyana, la méditation qui dure des heures et des heures. Mais on n'a pas encore atteint Satori, la conscience transcendante. Satori

1. Samadhi : la contemplation (N.d.T.).

peut surgir n'importe quand, au cours de la contemplation ou pendant qu'on bêche le jardin, comme l'indiquent nombre d'histoires des monastères Zen. Ce qui compte, c'est l'intensité de la volonté ; le « moment » viendra... quand il viendra.

LE COURS DE ZEN

11

UNE APPROCHE OCCIDENTALE DU ZEN

Le bouddhisme est un terme occidental pour désigner l'ensemble de la doctrine, des traditions et de la culture, issues de l'illumination de Gautama le Bouddha. Ses adeptes formèrent diverses écoles, le Theravada, dont le canon en pali fut écrit au Ier s. av. J.-C. Puis les deux écoles du Mahayana, le Madyamika, auquel s'associe le nom de Nagarjuna, et l'école de l'Esprit-Seulement, qui fut fondée plusieurs siècles plus tard par Asanga et Vasubandhu.

L'enseignement du Bouddha, sous une forme ou sous une autre, arriva en Chine par l'antique Route de la Soie. Le message y apparut au Ier s. après J.-C. et reçut un accueil assez froid. Les Chinois étaient plutôt hostiles aux moines, qui ne travaillaient pas pour gagner leur vie, qui n'ont pas de fils pour honorer la mémoire de leurs parents et qui obéissent à des règles qui ne conviennent pas au climat de la Chine.

Vers l'an 500, un bouddhiste hindou, Bodhidharma, dont les opinions et les méthodes étaient peu conformes à la doctrine, arriva à la cour chinoise et fut reçu par l'empereur.

L'empereur se vanta d'avoir fait tous les efforts possibles pour répandre le bouddhisme. Puis, finalement, il demanda quels étaient ses mérites — « Vous n'en avez aucun », répondit le visiteur. L'empereur insista : « Quel est le premier principe du bouddhisme ? » — « La vacuité, une vaste vacuité, dit le Bodhidharma, il n'y a rien de sacré là-dedans. » — « Alors, devant qui suis-je en présence ? » demanda l'empereur. — « Je n'en ai aucune idée », fit le Bodhidharma.

Cette histoire enchanta les Chinois qui n'en saisirent peut-être pas toute la profondeur. L'école Ch'an fut créée, dont on a dit qu'elle était la réaction chinoise au bouddhisme hindou. Après Bodhidharma il y eut d'autres patriarches et Hui-Neng, le sixième d'entre eux, modifia l'enseignement. Il y eut pendant cinq cents ans une succession de très grands maîtres jusqu'au moment où, vers 1200, le bouddhisme Ch'an arriva au Japon. Deux écoles se développèrent alors parallèlement, l'école du Zen Rinzai et celle du Zen Soto.

L'idée dominante de l'enseignement de Hui-Neng est claire. C'est celle de la « Sagesse de l'Au-delà » (Prajnaparamita) de l'école Madhyamika, principe qu'il faut appliquer directement à la vie quotidienne sans passer par des stades progressifs. Les longues heures de méditation ont leur valeur mais n'aboutissent pas à l'illumination. On a beau frotter une brique, on n'en fait pas un miroir. Il faut que s'ouvre, soudain, le troisième œil, celui de l'intuition — Prajna, et qu'il voie », dit Hui-Neng, « que depuis le commencement aucune chose n'existe, que toutes les distinctions sont des imaginations erronées et que dans le bouddhisme il n'y a pas *deux* choses. » Ce retour à l'enseignement direct du Bouddha fut complété ensuite par le maître Huang-Po qui déclare que « tous les êtres sensibles ne sont rien d'autre qu'un Seul Esprit, en dehors duquel il n'y a rien. »

Ainsi les maîtres Ch'an amalgamèrent, dans le creuset de l'expérience directe, les enseignements des deux grandes écoles du Mahayana et appliquèrent leur sagesse à travailler dans les champs, au marché et dans les familles.

Des histoires au sujet de ces maîtres furent rassemblées ainsi que des exemples de dialogues dans lesquels le maître répondait de façon à aider l'élève à briser les chaînes de sa pensée. Mais, alors qu'au début les anciens maîtres instruisaient leurs élèves personnellement d'après les aspirations de ceux-ci, par la suite ils comptèrent sur le Koan, exercice qui a pour but de briser les limites de la pensée, de développer l'intuition et que Hui-Neng fut le premier à pratiquer. Étant poursuivi par des voleurs, il réussit à obtenir que ceux-ci s'assoient en silence, puis il leur dit : « Quand vous ne pensez ni au bien ni au mal, à ce moment là quel est votre vrai visage ? (ou le fond de votre pensée) ». Ces paroles énigmatiques, qui n'ont pas de sens, sont destinées à briser le moule de la pensée et à libérer l'esprit « pour qu'il ne se pose nulle part. »

Des centaines de Koans ou problèmes destinés à briser les limites de la pensée furent posés, comme par exemple : « Quel est le bruit d'un battement de main ? » et depuis quinze cents ans la formation du bouddhisme Zen Rinzai est fondée sur ue tels exercices. Mais alors que, pour un moine japonais dans dn monastère, ce système doit fonctionner parfaitement, on peut se demander comment s'en accommoderait un Occidental dans sa vie de tous les jours. J'estime qu'on ne doit utiliser le système du koan qu'en présence d'un maître qualifié car il exige une tension de l'esprit de la part de l'élève qui est entraîné dans une impasse et se heurte à un mur. Si un maître compétent observe les dernières phases, prêt à aider le poussin à sortir de l'œuf et prêt aussi à approuver cette « expérience », la méthode réussira peut-être à quelques-uns. Mais en l'absence d'un tel maître la tension risque d'être trop forte et de provoquer la démence au lieu d'aboutir à l'illumination.

Alors que reste-t-il à l'Europe ? Au Japon, l'initiation Zen suppose des jours et des années de méditation sur le koan ou plus généralement de méditation « assise », dans les écoles du Zen Soto, ce qui implique une vie monastique d'une durée presque illimitée. De nos jours quelques Occidentaux vont au Japon, apprennent le japonais et se soumettent à cette discipline, mais aucun d'eux, jusqu'ici, n'est revenu porteur d'une illumination reconnue. Inversement, des maîtres Rinzai sont venus en Europe où ils sont restés parfois des mois et ont accepté des élèves, le temps de leur séjour. Ces visites trop courtes n'ont pas abouti à de grands succès. Je suis donc arrivé à l'opinion suivante que j'ai exprimée au cours des dix dernières années : les centaines de bouddhistes occidentaux qui s'intéressent au bouddhisme Zen doivent pouvoir trouver une solution qui soit une adaptation de la formation traditionnelle du Japon. Je vois quatre raisons pour justifier cette grave décision :

1. — Il n'est pas raisonnable de penser que des Européens des années 1970 puissent adopter un système de vie spirituelle qui fut établi en Chine en 700 ap. J.-C.

2. — Si ce système *pouvait* réussir en Europe, il nécessiterait une quantité de maîtres japonais qualifiés, parlant plusieurs langues et prêts à consacrer de longues années à ces étudiants. Et cet enseignement serait réservé aux rares Occidentaux qui auraient le temps et les possibilités financières d'aller séjourner au Japon.

3. — L'Occident réalise son Dharma, pour employer des termes bouddhistes, par l'intelligence ; c'est un magnifique instrument pour asseoir un système et pour acquérir la vérité dans le domaine de la dualité. On ne peut en faire fi. Il faut

l'utiliser au maximum avant que la conscience européenne soit en mesure, en développant son intuition, de dépasser les limites qui lui sont inhérentes et d'arriver à une vision directe de la Réalité. Ce n'est qu'en atteignant les limites de la pensée qu'on peut espérer faire une percée dans l'au-delà de la pensée, qui est l'intuition de Prajna, le « troisième œil » grâce auquel nous nous apercevons que nous avons l'illumination.

4. — Nous autres, en Occident, nous aimons la vie de famille et rares sont ceux qui entrent aujourd'hui dans un monastère. Nous avons un rôle à jouer dans l'ensemble de la société. Comme la méditation fait partie de notre existence quotidienne, il nous faut trouver le moyen de tirer parti de l'aventure de la journée pour nous approcher de la conscience Zen.

On peut se procurer actuellement une grande partie de la littérature Zen en langue anglaise. Les travaux du Dr Conze nous permettent de lire « Au-delà de la Sagesse », nous avons une vingtaine d'ouvrages sur la signification des textes sacrés du bouddhisme Zen, par Suzuki, qui consacra sa vie à le faire connaître et à créer l'école bouddhiste la plus authentique. Mais il ne suffit pas d'éveiller l'intérêt et d'apporter des données intellectuelles. Il faut une méthode bien définie d'entraînement et d'initiation destinée à « percer » le non-créé, le non-formé. En quoi consiste cette méthode ? C'est là le problème et il n'est pas nouveau. J'ai attiré l'attention sur ce point en 1960 dans un livre intitulé *Zen Comes West* (Le Zen arrive en Occident) et n'ai jusqu'ici reçu d'autre réponse que la mienne.

Cela demande une longue préparation mentale, en même temps qu'une étude du Theravada et des différentes traditions du Tibet ; cela implique aussi un développement préalable de l'esprit, acquis dans cette vie ou dans des vies antérieures, la volonté acharnée de poursuivre la voie qu'on a choisie, parût-elle même étrange et difficile ; enfin une dose de bon sens.

Ici nous affrontons un problème qu'on ne doit pas traiter à la légère. Comme Hui-Neng et ses successeurs l'ont fait remarquer, il est impossible d'éclairer l'esprit car l'esprit étant inséparable de l'esprit du Bouddha, de l'esprit absolu, il est déjà éclairé. « Au commencement rien n'existait, s'écrie Hui-Neng, c'est là le cœur de la philosophie Prajnaparamita, qui, de toutes les religions, est le point le plus élevé qu'on ait jamais atteint. Et Huang-Po dit : « Tous les êtres doués de sensibilité forment un esprit unique, en dehors duquel rien n'existe. » Il semble en résulter que cet énorme ensemble, formé de pensées, de sentiments, de volonté et de désirs, que nous appelons l'esprit, ne deviendra jamais l'esprit du Bouddha ; c'est notre attachement à la pensée qui en émane qui, seul, nous empêche de voir que nous appartenons à la nature même du Bouddha, qui comprend à la fois le Nirvana et le Samsara (le devenir), l'Absolu de la Non-Dualité et la relativité de la vie quotidienne. Exercer un travail sur notre esprit est par conséquent tout à fait inutile et même pernicieux, car il peut encourager le moi à un orgueil démesuré.

Comment, dès lors, oserons-nous agir sur cet esprit, le nôtre, pour voir que nous sommes et avons toujours été illuminés ? Comment oserons-nous essayer de former cet esprit individuel qui, sur le plan de l'esprit du Bouddha, n'existe même pas ? Je réponds hardiment parce que la différence entre notre esprit et l'esprit du Bouddha est une « imagination erronée », comme le dit Hui-Neng. Je propose donc de détruire cette fausse antithèse, de même que celle du soi et du Soi, ou de la flamme et de la Lumière. L'homme tout entier escalade le sommet, avec ses « bottes de boue » et emporte tout avec lui, le bien et le mal, la vérité et le mensonge, pour re-devenir l'Essence de l'Esprit qui n'a jamais cessé d'être sa propre divinité.

Quand les maîtres du Zen insistent pour nous montrer que la « dualité » est une imagination erronée, n'avons-nous pas ici une fausse antithèse ? Ne devons-nous pas employer notre esprit à rejoindre sa source ? Mais je conviens qu'il faut d'abord *voir* que la distinction est fausse et qu'il faut le voir, non par la pensée, si éveillée soit-elle, mais grâce à la lumière de l'intuition directe et immédiate qui perce la Réalité.

Comment y parvenir ? Comment l'Occidental qui est à la recherche de la Vie pourra-t-il élever sa conscience au niveau où toutes ces magnifiques paroles sont vraies ? Le Bouddha a répondu à cette question par la Noble Voie Octuple qui comprend l'intention dépouillée de l'égoïsme, la bonne action dans le monde des hommes et la préparation de l'esprit par la contemplation (ou samadhi) qui apporte le calme d'une parfaite maîtrise de soi... Les maîtres Zen ont-ils trouvé un moyen détourné pour franchir ce chemin bien défini et abrupt ? Ou bien parlent-ils du haut du sommet qu'ils ont atteint où, dans la lumière de l'esprit du Bouddha, ils voient qu'ils n'ont jamais cessé de faire partie de celui-ci ? S'il en est ainsi, comment y sont-ils arrivés ?

Il faut certainement faire l'analyse avant la synthèse, examiner cette illusion qu'il faut reconnaître comme telle, et se rendre compte de l'infinie différence avant de prendre conscience que la multiplicité ne cesse jamais d'être Une.

Même si le but de la formation Zen est de voir qu'il n'y a rien à atteindre, le regard réfléchi que nous posons sur Samsara (notre monde du continuel devenir) nous montre que nous connaîtrons un jour le Nirvana sur terre. C'est pourquoi nous devons apprendre à faire bon usage de notre esprit.

Je pense que ce dont a besoin l'étudiant occidental, et ce qu'ont utilisé tous ceux qui, aujourd'hui, parlent de l'intuition — Prajna, c'est une série de marches qui conduisent progressivement jusqu'au « mât aux cent pieds » du haut duquel on fait un plongeon existentiel et subit dans la conscience Zen.

Les pas dont je parle ici concernent les septième et huitième sections de la Voie Octuple, ils ont le mérite d'être raisonnables, de pouvoir convenir au tempérament occidental, même en l'absence d'un maître qualifié pendant une grande partie au moins de l'ascension. Lentement, régulièrement, en toute sécurité, nous élevons notre conscience, graduellement éclairée par la lumière de l'illumination. Nous sommes prêts à recevoir les premières lueurs de cette nouvelle conscience, tout en continuant à servir toute l'humanité d'un cœur humble et dévoué.

Ce n'est pas le lieu d'exposer le cours sur la longue formation de soi-même que je propose au chercheur occidental, en me référant à l'expérience de ma propre vie et de la classe de Zen de la Société Bouddhiste.

Je ne puis que résumer les notes relatives à chaque stade qui, sur une période de plusieurs mois, sont discutées et servent de base à une méditation fructueuse.

Premier Stade : « Perdre l'habitude de penser ».

Avant de transcender la pensée il faut en examiner la nature, le processus et le conditionnement, dans le passé, dans le présent, ainsi que ses réactions aux stimuli.

Avant d'édifier « la tour aux cent pieds » d'où nous ferons « un bond existentiel » dans l'expérience de l'illumination, nous devons nous débarrasser des pensées périmées et inutiles.

Alors seulement nous serons capables d'exercer un contrôle sur nos pensées, d'en apaiser les remous et d'atteindre le « centre immobile du monde en mouvement » où se trouve l'esprit du Bouddha.

Regardons donc d'abord notre conditionnement général et particulier et tentons de nous « dé-conditionner » pour briser nos chaînes.

A la fin de chacun des stades, nous nous posons des questions. Ici : « Dans quelle mesure suis-je encore assujetti à des idées particulières sur la religion, la politique et les problèmes sociaux ? Puis-je me faire une opinion honnête sur le point de vue du voisin, sur quoi que ce soit ? Et finalement, puis-je me représenter, même vaguement, une vérité qui soit au-dessus et au-delà de tout couple d'opposés et qui *était* avant toute différenciation ?

Deuxième Stade : « Cesser de penser ».

Après avoir considéré le conditionnement de l'esprit et entrepris d'en arracher les pensées périmées et les habitudes indésirables, il faut aller plus loin.

En réalité nous ne cesserons pas de penser, mais il faut apprendre à choisir ses pensées. Nous appliquerons la même discipline à nos réactions devant les stimuli extérieurs et les invasions de certaines idées qui proviennent de l'intérieur de nous-même.

L'idéal, un idéal presque impossible, serait de « laisser l'esprit ne se poser nulle part », ou, comme le dit le Sutra du Cœur, de « vivre sans être revêtu de pensée ». Nous en sommes encore loin. Tâchons de nous en rapprocher.

Après nous être exercé à cela pendant des mois, nous nous poserons des questions : « Puis-je maintenant arrêter, pendant quelques minutes, toute réaction aux objets ou aux événements extérieurs, non pas en me plongeant dans la méditation mais pendant que je circule et vaque à mes occupations ? Puis-je cesser le « bavardage mental » à mon gré ? En particulier, puis-je cesser d'approuver ou de désapprouver ce que disent ou ce que font les autres ? Puis-je vraiment ne m'occuper que de mes propres affaires ? Ai-je la force morale de refuser de me faire une opinion au sujet de ce qui se passe autour de moi ? Puis-je franchement changer d'opinion ?

Jusqu'ici nous ne sommes que des élèves revenus à l'école, avec une liste de livres, des cahiers et des heures obligatoires, chaque jour consacrées à l'étude ou à la méditation. Le thème qui nous est proposé hante notre esprit durant toute la journée, il revient à la surface de la conscience à tout moment et appelle notre attention. L'élève n'a encore aucune notion de l'expérience Zen ni de ce qu'elle représente.

Concentration et méditation. Il faut bien comprendre la distinction entre ces deux fonctions de l'esprit. Aujourd'hui les bouddhistes occidentaux insistent beaucoup sur la méditation dont ils compliquent la pratique par trop de jargon technique. La méditation doit être aussi simple que possible. Il suffit d'apprendre à se concentrer et à chaque fois qu'on en a l'occasion, de donner un coup de projecteur sur l'esprit qui est à la recherche de l'esprit du Bouddha. C'est du moins ce que croient beaucoup d'entre nous.

Troisième Stade : « Re-penser ».

Pour la première fois l'esprit s'élève aussi haut qu'il le peut dans le royaume de la conscience intuitive. Qu'est-ce que le Zen ? Hélas, « le Tao (ou Zen, ou Vérité) que l'on peut décrire n'est pas le Tao éternel (ou Zen éternel, ou Vérité éternelle). Le Zen n'est ni une chose, ni une idée, ce n'est pas même un idéal. Il est impossible de l'atteindre parce que nous vivons déjà dans le lieu où il se trouve, dans l'Esprit-Pur.

Nous constaterons un jour que toute pensée fait obstacle à notre illumination. Mais pas tout de suite. Il nous faut penser maintenant à élever notre conscience jusqu'au seuil d'une nouvelle faculté, l'intuition. Cela nous éclairera progressivement jusqu'au moment où nous aurons de temps à autre, fugitivement, la vision directe et immédiate des choses telles qu'elles sont, au-delà de la dualité, des concepts et des sentiments. Il faut susciter et étudier sérieusement ces grandes forces de la pensée qui doivent nous transformer entièrement. On n'évitera pas un conflit car le prix de la victoire est la mort du soi.

Nous sommes au cœur du système de l'éducation de soi-même que j'ai pratiquée pendant cinquante ans et que je me permets de recommander. Si l'une de ces vastes forces mentales pénètre dans l'esprit, l'homme est totalement transformé. C'est un phénomène indiscutable ; on constate qu'il est vrai ou non. Il n'y a pas à craindre d'irruption incontrôlée de l'inconscient, ces pensées sont des visiteurs bien accueillis, des flammes de lumière qui viennent dissiper la dense obscurité de l'illusion. Les utiliser, c'est chasser toute crainte des multiples formes du pseudo-Zen, c'est éviter d'être le jouet d'une conscience erronée. Ces conditions extatiques et ces aperçus du domaine psychique sont aussi différents des lueurs intemporelles de la conscience transcendantale ou Satori que l'étain de l'or pur et ils ne trompent personne. Le chemin de l'illumination est sans détours.

Il est difficile d'emprisonner ces principes cosmiques dans une phrase car les mots ont perdu leur signification et sont maintenant au service d'une littérature de troisième ordre. « La Vie est Une » est un exemple aux implications importantes et qui englobe la fraternité des hommes et le fait qu'il n'y a pas de mort. « Dès les commencements il n'existait rien », dit Hui-Neng. Actuellement notre esprit peut-il concevoir un tel idéalisme ? D'après Suzuki, Prajna (la Sagesse transcendantale) et la Compassion (Karuna) forment une unité indivisible qui est à la base du Mahayana. Ici l'on considère la doctrine de l'Arhat (Saint) et celle du Bodhisattva comme inséparables et elle gagne du terrain en Occident. Le Karma est beaucoup plus qu'une sèche équation de cause à effet ; c'est plutôt une vaste vision de l'univers en tant qu'harmonie totale. Cette harmonie a été rompue, le responsable doit la rétablir et toute manifestation doit concourir à ce but. Le Karma est donc le régulateur du rapport non-créé-créé. Finalement, comme dit un maître Zen : « Tout est bien dans le monde. Les flocons de neige tombent, chacun à sa place. » Le poète Thoreau a dit aussi : « Je sais que les choses marchent bien, je n'ai pas appris de mauvaises nouvelles. »

A mesure que ces éléments surgissent et s'imposent à l'esprit, pulvérisant les barrières des idées périmées, désagrégeant le moi, effaçant les différenciations, les limitations et les choix, la conscience s'élève au niveau de sa véritable nature : « l'Essence de l'Esprit », qui est, comme le dit Hui-Neng, « intrinséquement pur ». Nous sommes ici dans le domaine de ce que j'appelle la pensée illuminée, une haute pensée éclairée par une certitude grandissante, tandis que la lumière de l'intuition confirme ou infirme les concepts de l'esprit.

Tout le monde peut se rendre compte de cette condition, car tous les « grands esprits » sont des esprits illuminés par la lumière du Bouddha ou intuition-Prajna, le « troisième œil » qui permet de voir les choses telles qu'elles sont réellement. Beaucoup d'entre eux sont même plus qu'illuminés, ils ont atteint dans une certaine mesure le satori, c'est-à-dire la conscience transcendantale. Un grand nombre de philosophes, d'astronomes, de savants, de poètes, d'hommes d'État, d'ecclésiastiques, de soldats, ont parlé d'une telle expérience. Il est intéressant de noter que quelques-uns d'entre eux qui ont aperçu « l'autre rive », qui ont fait une « percée » authentique dans l'au-delà, n'avaient jamais entendu parler du bouddhisme et encore moins du Zen.

L'étudiant, affermi par la pensée illuminée, cherche à établir un pont entre la dualité et la non-dualité, entre ce qui est réel et ce qui ne l'est pas. En réalité, il ne peut y avoir de pont, mais le pas est franchi, le voyage accompli. La connaissance, devenue sagesse, s'épanouit dans la compassion. Animé par un vrai motif, libéré d'un moi envahissant, le voyageur poursuit adroitement son ascension. Chaque lueur de la Réalité est pour lui une victoire. L'homme tout entier progresse et parvient à la soudaine expérience. « Quand l'élève est prêt, le maître apparaît. » Récompense méritée.

Quatrième Stade : « Au-delà de la Pensée ».

Quand l'épée de l'intuition-Prajna perce le plafond du devenir (Samsara), ce monde double de l'irréalité, et que nous apercevons un état de conscience plus vaste, nous arrivons au vrai début de l'initiation Zen. Chacune des expériences est incommunicable, inexprimable, par des mots, mais toutes ont un facteur commun qui est la disparition du soi. Ce sont les « moments de prise de conscience », mais non la conscience de quelque chose qui, avant, était absent. Sujet, objet, passé, présent et futur, vous, moi, n'existent plus dans la séparation. Il n'y a plus de différenciation, nous voyons à présent toutes les choses telles qu'elles sont et toutes font inséparablement partie de la même Plénitude-Vacuité. C'est vraiment le commencement de l'initiation au Zen que Suzuki appelle « une initiation morale fondée sur l'expérience du Satori, ou conscience transcendante ».

LE MAÎTRE NE PEUT
QUE MONTRER LE CHEMIN

O Maître, je suis triste et las.
Apprends-moi ce que je dois savoir.

— Mon enfant, il n'y a rien là-haut,
Rien à t'enseigner ici-bas.

— Maître, je souffre. Sois mon guide ;
Sûrement la route est claire.
Montre-moi les pas que je dois faire
Pour trouver la liberté, ici et maintenant.

— Mon enfant, si je ne puis faire moins
Je ne puis pourtant faire plus.
Car chacun de nous doit trouver tout seul la voie
Qui mène à la rive lointaine.
Les étapes à franchir sont nombreuses. D'abord il faut
Bien regarder et voir les choses telles qu'elles sont.
Accepter chacune telle qu'elle est vraiment.
Goutte de rosée ou étoile.
Et savoir que chacune est, tout à la fois,
Du ciel, de la terre ou de l'enfer.
Tout bien est mêlé au mal, tout mal au bien,
Et tout est bien, mon cher enfant !

— Il est pénible de marcher sans cesse
Et plus pénible encore de commencer !

— Pourtant, lutte avec ton cœur et ton esprit
Pour atteindre la vision intérieure :
Le moi que tu aimes n'est qu'une buée
Exhalée par l'esprit
Et qui brouille la compassion du cœur
Pour tout ce qui vit et pour tous les hommes.
Le moi, lumière sans nom,
Est le miroir du vide.

Nous le possédons et ne le possédons pas.
Et maintenant poursuis ta route. Je ne te conduis pas.
Nous voyageons côte à côte
Jusqu'à ce que le cœur soit tout amour.
Et que l'amour lui-même soit mort !

— Maître, tu me montres du doigt le chemin ;
Ta sagesse est amicale,
Mais quand donc le long et pénible voyage sera-t-il terminé ?

— Mon enfant, il n'a pas de fin.

12

PREMIER STADE :
DÉSAPPRENDRE À PENSER

Si le Zen est l'ouverture du « troisième œil » de « l'intuition-sagesse », et qu'un tel éveil soit considéré comme la source et le but de l'initiation, comment élever notre conscience au niveau de cette intuition ? Faut-il simplement s'asseoir et espérer, ou nous diriger délibérément vers un « but souhaité avec ferveur ? »

La réponse est claire mais mérite d'être soulignée. Nous désirons voir quelque chose de fécond dans le Zen. Rien ne nous en empêche, mais chacun doit ôter les bandeaux qui lui recouvrent les yeux. Comme l'indique le Dhammapada, « les Bouddhas eux-mêmes ne font que montrer le chemin », ou, en termes occidentaux, Plotin a dit : « Après la discussion nous faisons appel à la vision, nous montrons le chemin à ceux qui veulent voir ; notre enseignement consiste à guider ; voir est le dernier geste de celui qui a fait son choix. » Ou encore : « Le Bouddha vous donne un billet, mais c'est à vous de prendre le train ! » (paroles d'un Bhikku anglais).

Si le Zen réside au-delà de la pensée, chacun de nous doit briser les chaînes qui emprisonnent sa pensée, devenir maître, alors que nous sommes esclaves. Le Dr Suzuki écrit : « Ce qui distingue le Zen des autres écoles de spiritualité est la maîtrise parfaite qu'il possède des mots et des concepts. Au lieu de devenir l'esclave de ceux-ci, il est conscient du rôle qu'ils jouent dans l'aventure humaine et leur assigne la place qu'ils doivent avoir réellement. » Il faut contrôler la machine à penser afin qu'elle soit dûment utilisée pour élever la conscience, la porter à ses limites extrêmes et au-delà. Le Contrôle est le mot essentiel. Souvenez-vous que l'idéal est de « ne poser son esprit nulle part », d'en faire un oiseau qui vole librement, une automobile qui ne s'arrête jamais sur la route.

Pour réaliser cette condition, un geste magnifique ne suffit pas ; il faut travailler durement pendant des années et des vies entières. Le Zen parle d'un mât de 30 mètres sur lequel il faut grimper et du haut duquel on fait un bond existentiel dans l'illumination, qui est un état de non-pensée. Qu'on me permette une modeste analogie : imaginez des marches d'escalier très hautes et très nombreuses, qu'on peut compter et qu'on franchit une par une. Ce petit édifice doit avoir de solides fondements, sinon il s'écroule et nous avec. Pour construire une maison, on creuse le sol et on fait de solides fondations. Il en est de même pour le sol de la sagesse spirituelle, base de toute expérience véritable. Plus la construction est élevée, plus les fondations sont profondes ; or notre édifice est très haut.

Pour pouvoir dominer ce vaste processus de pensée, pour ériger un temple de l'intelligence du haut duquel nous « voyons » comme jamais nous n'avons vu avant, il faut d'abord dégager le site. Il est actuellement encombré de détritus, de monuments abandonnés. Puis sur ce site il faut entreprendre des fondations. Et puisqu'il s'agit de l'esprit, il sera nécessaire de creuser dans l'inconscient où tant de nos idées ont été enracinées et restent enfouies. Dans cette première phase, notre tâche est plus difficile qu'on a pu le croire au début.

Il faut sans aucun doute commencer par effectuer ce travail de déblayage sur nous-même. Celui qui a traité des sujets qui paraissent étranges au public a connu cette sensation de lancer des pierres contre un mur de fer. Les idées lancées, qui pourtant semblent intéresser l'auditoire, retombent, comme, dans la parabole du semeur, les graines sur un sol caillouteux. Le sol non préparé résiste comme un roc aux idées nouvelles. Alors comment pouvons-nous planter de nouvelles semences dans notre esprit, même si ce sont des principes bouddhistes fondamentaux, sans nous préoccuper de l'état d'esprit qui va les recevoir ?

Examinons donc notre esprit. Tâche morne et fatigante, mais nécessaire. Regardez votre esprit, tranquillement, crayon et papier à la main. Son conditionnement. Hui-Neng dit : « L'essence de l'esprit est intrinsèquement pure ». C'est possible, mais il est entouré d'un tas de détritus ! Comme un professeur japonais l'écrivait récemment : « la difficulté qu'éprouvent les êtres humains à apprendre quelque chose ne tient pas généralement aux difficultés intrinsèques des leçons, mais plutôt au fait qu'avant de saisir de nouvelles notions il nous faut désapprendre nos chères sentimentalités, nos dogmes, nos superstitions, nos lieux communs... qui tous défigurent, annulent ou caricaturent les leçons que nous recevons. » La situation est plus grave encore. Faites une liste de cinquante de vos croyances, de vos conclusions, de vos principes de morale et de comportement social. Continuez avec vos convictions religieuses, vos choix irrévocables, vos ambitions avouées, vos opinions politiques, vos lointains idéaux. Combien d'entre eux sont aujourd'hui usés, dans la chambre de débarras, ou sottement mêlés à des idées plus récentes et incompatibles les unes avec les autres. Elles sont indésirables. Mais plus dangereuses encore sont les idées vivantes qui vous entraînent çà et là à votre insu. Ce sont des liens vivants, limitatifs, des ancres qui annulent les plus nobles aspirations de nos envols. Notez, en outre, notre réaction automatique actuelle à tous stimuli, d'autres entraves surgissant chaque jour.

Tout cela est difficile à briser. J'ai copié ce qui suit dans *Punch* : « Il est possible de se débarrasser d'un moustique, d'un bateau de guerre ou même d'une femme. La seule chose indéracinable, la chose qu'on ne peut éliminer en une vie d'homme, c'est une idée préconçue. » Il faut avoir l'âme forte pour faire face à ce conditionnement, il faut une volonté de fer pour rompre toutes ces chaînes. Quel est le stimulant qui nous permet d'accomplir cette tâche de toute une vie ? Qu'on me permette de citer la réponse d'un Roshi moderne, Sokei-an Sasaki : « Quand un professeur de Zen vous dit : « Retournez à votre état originel (l'Esprit intrinsèquement pur de Hui-Neng), il vous demande de déraciner de votre esprit toutes les pensées et les noms de nombreuses choses. Il vous demande de vous débarrasser de tout le remplissage de tous les débris, afin que votre esprit soit pur comme l'eau. C'est l'état primitif de l'esprit. »

C'est cette question qu'il faut toujours avoir à l'esprit. D'après Hui-Neng, « l'essence de l'esprit est intrinsèquement pure ». Mais comment arrivons-nous à cette pureté, nous qui sommes, en fait, déjà purs ? C'est très joli de dire qu'on y parvient en débarrassant l'esprit de tous les débris pour le rendre pur comme l'eau. Mais comment ?

Rendez-vous compte que vous êtes attaché, car ainsi vous ferez déjà un pas pour relâcher vos chaînes. Demandez-vous si vous voulez vraiment voir l'autre côté d'un raisonnement, changer même de côté et exprimer, en faveur d'un ami absent, par exemple, l'autre point de vue ? Etes-vous obligé de vous

9

faire une opinion sur des questions qui ne vous concernent pas et de l'exprimer nettement, tout en sachant que votre savoir sur ce sujet est extrêmement limité ? Dominerez-vous la discussion et envisagerez-vous un troisième terme pour chaque couple de contraires ? Si oui, vous êtes assez remarquable, sinon vous êtes vraiment ligoté. Ce déplorable désordre de l'esprit est un des cinq facteurs qui constituent la personnalité, d'après le bouddhisme, c'est le dépôt karmique qui vous conduit à la prochaine réincarnation.

Regardons les choses en face : nous sommes tous conditionnés biologiquement par nos instincts, par notre race, notre couleur, notre caste, notre sexe et notre éducation religieuse. Par notre famille, notre environnement et notre métier. Tout cela affecte nos choix, nos opinions et nos réactions aux stimuli extérieurs. La mentalité qui en résulte est donc soumise à une quantité de formes de pensée anciennes, nouvelles et habituelles, d'amours et de haines, de modes, de phobies, de conclusions et d'idéaux. En outre chacun de nous obéit à son caractère psychologique et à son inconscient racial et personnel. Nous sommes loin du principe selon lequel « il faut que l'esprit ne demeure nulle part ». Car nous avons choisi, ou l'on a choisi pour nous, nos opinions sur la politique, sur l'art classique ou moderne et nos idées invariables sur l'attitude de tel gouvernement envers d'autres, ailleurs. Et nous songeons à aborder le Zen !

Tout cela constitue un trop-plein pour l'esprit. Un maître Zen demande à un visiteur plein de savoir : « Voulez-vous du thé ? Et il remplit la tasse qui déborde sur le tapis. Le visiteur proteste. « Mais comment puis-je vous donner du thé, dit le maître, si pour commencer vous ne videz pas votre tasse ? »

De tous ces obstacles, le plus contraignant est sans doute l'habitude de faire des choix, car la conscience Zen implique qu'on se libère de tout choix. Nous lisons dans un texte « Sur la Confiance dans le Cœur » :

> Comparer ce qu'on aime à ce qu'on n'aime pas,
> Telle est la maladie de l'esprit.
> Essaie de ne pas chercher le vrai :
> Cesse seulement d'avoir des opinions.

La relativité comporte la dualité. Dans le monde de Samsara nous sommes sollicités par une centaine de choix par jour. Chacun d'eux est une chaîne. Nous avons adopté l'une des deux rives du fleuve, mais la vie coule au milieu et nous

nous sommes arrêtés en chemin. L'idéal bouddhiste est la voie moyenne et le moindre mouvement qui s'en écarte nécessite un retour au milieu.

Ces chaînes, quelles sont-elles ? Comment sont-elles apparues ? Toute pensée est une opération de division et toute pensée ou toute croyance est nécessairement partiale, et par conséquent nécessairement partiellement fausse. Toute pensée doit servir à la communication et au raisonnement, mais, comme le dit Huang Po : « Pourquoi chercher une doctrine ? Dès qu'on la trouve on tombe dans la pensée dualiste ». Par conséquent la recherche de la vérité n'est jamais satisfaisante. « Votre recherche, dit Huang Po à son interlocuteur, fait (dans ce cas) une différence entre le passé et le présent. Si vous arrêtiez votre recherche, comment pourrait-il y avoir une différence entre eux ? »

Pourtant il faut poursuivre la recherche et utiliser la pensée comme outil. Mais, tout en accomplissant cette opération, rappelons-nous le premier vers du Dhammapada : « Nous ne sommes que le produit de nos pensées... » « Nous sommes ce que nous nous sommes fait, bon ou mauvais, selon l'appréciation que nous portons sur nous-même, car le bien et le mal n'existent pas en dehors de la pensée qui les crée ».

Nous devons donc penser délibérément et cette pensée est bonne. L'erreur serait de se laisser enchaîner par cette pensée qui nous empêcherait alors d'atteindre l'illumination Zen, et nous sommes tristement enchaînés actuellement.

Si toute pensée est une prison, du moins atténuons le danger qu'elle présente en pratiquant constamment le doute. Soyons humbles et n'affirmons jamais avec assurance une croyance, une décision ou une conclusion. Comme le dit le professeur Tucci, qui fait autorité en matière de bouddhisme tibétain : « Évitez la rigueur de la certitude inflexible. » Surveillons la naissance d'une idée ou d'un sentiment afin de le tuer dans l'œuf. Utilisons-les simplement comme on prend un radeau pour traverser une rivière. Comme le dit Hui-Neng : « Notre esprit doit dominer les circonstances et celles-ci ne doivent jamais influer sur le fonctionnement de l'esprit. » Malheureusement, nous permettons à tous les mots que nous entendons ou que nous lisons d'exercer une influence sur nos conditions de vie. Nous n'évoluons pas librement. Comment nous libérer ? Considérons encore une fois les ancres, les chaînes, les adhésions, qui forment notre asservissement mental.

Il y a des idées que nous devrions abandonner complètement et même extirper totalement de notre cerveau. D'autres que nous pouvons conserver et utiliser provisoirement parce qu'elles sont utiles pendant quelque temps. Et il y a ce que j'appellerai les idées-forces, à introduire dans la troisième phase et qui élèvent la conscience au-delà de la pensée.

Dans la classe de Zen de la Société Bouddhiste, nous proposons des exemples de ces listes générales et faisons des observations. Je me bornerai ici à citer deux exemples de la première catégorie : Il faut déraciner toute trace du concept d'autorité. Nous tournons-nous toujours vers Dieu ou vers quelque entité, comme vers une force qui nous lavera de nos péchés et de leurs fâcheuses conséquences ? Ou vers une moindre autorité vivante ou morte, qui soit comme une image projetée d'une vertu non encore acquise ? Sommes-nous toujours à la recherche du gourou [1] et considérons-nous que les écrits de X ou de Y font autorité ? S'il en est ainsi, n'oublions pas le conseil du Bouddha : « Ne marche pas dans les pas des anciens. Cherche comme ils ont cherché eux-mêmes ! » Une deuxième idée qu'il faut arracher de soi est cette dangereuse demi-vérité selon laquelle tout homme a une âme immortelle. La croyance en un moi immuable de l'homme n'apparaît dans aucune des écoles du bouddhisme. L'Atman (le moi suprême, la conscience universelle de la philosophie hindoue) n'appartient à aucun homme en particulier, c'est un reflet de ce que le Bouddha appela « le Non-né, le Non-formé ». Ce Non-né se manifeste dans le Samsara [2] comme une force vitale indivisible dont les formes innombrables dépendent les unes des autres et forment un tout karmique. « Toutes les distinctions sont le fruit d'une imagination fausse, dit Hui-Neng, et croire que mon âme, mon esprit, ma volonté, sont séparés des vôtres est une illusion. » Dans tout homme il y a une âme, c'est-à-dire une masse d'attributs, un caractère qui va de vie en vie sur la longue route de l'éveil, de l'illumination ; mais, comme le dit le Dr McGovern dans son *Introduction au bouddhisme Mahayana* : « Pour le bouddhisme, l'âme n'est pas une entité rigide et immuable mais un organisme vivant, complexe, changeant et qui évolue. » Il faut bien réfléchir à cela, car comment l'esprit de l'homme prendrait-il son vol librement pour se poser nulle part, s'il croyait sérieusement à une âme individuelle immortelle ?

1. Gourou : Maître spirituel (N.d.T.).
2. Samsara le devenir — l'existence dans le monde comparée au Nirvana (N.d.T.).

Hélas ! de telles idées existent toujours ou ne sont que partiellement abandonnées. Quant à la deuxième catégorie, c'est-à-dire les idées qui sont en quelque sorte les instruments de notre vie quotidienne, utilisons-les complètement, sans jamais oublier que celui qui est obnubilé par sa bêche, sa machine à écrire ou son automobile est un sot.

Nous avons besoins d'un certain nombre de « principes bouddhistes » pour les appliquer à notre conduite et les offrir à nos amis. Ce sont les enseignements du bouddhisme Theravada qui ont été modifiés et enrichis par le Mahayana. Étudions donc et faisons notre usage quotidien des Trois Caractéristiques de l'Être, des Quatre Nobles Vérités, du Karma, de la Réincarnation et de la notion de Nirvana. Ajoutons l'idéal de compassion et sagesse de Bodhisattva du Mahayana et l'au-delà de la pensée qui est la voie directe du Zen. Mais même ici nous sommes vulnérables aux pensées étrangères. Il faut s'empresser de les modifier, même de les abandonner et voir, de temps en temps, où nous en sommes de notre propre croyance. L'idéal serait d'être nu, dépouillé de toute pensée, comme il est dit dans le Sutra du Cœur. « Pour appréhender la vie elle-même, dit le Dr Suzuki, le bouddhisme, l'illumination et d'autres idées ne sont encore pour nous que des mots, l'enveloppe extérieure de concepts. Les enseignements indiquent le but mais ne le contiennent pas. » Faisons donc notre profit de telles pensées, mais ne nous laissons pas enliser par elles.

On a souvent dit que « le bouddhisme était la manière de devenir le Bouddha. » L'expérience directe est une nécessité impérieuse pour tous les étudiants. Il faut donc étudier profondément les principes bouddhistes pour voir s'ils représentent pour nous la vérité présente. Ils sont en chacun de nous une partie de la sagesse du Bouddha, une partie seulement, car les mots ne peuvent contenir la totalité de l'expérience du Bouddha. Son enseignement ressort de son expérience et pour la comprendre il faut aller à la source, c'est-à-dire faire la même expérience.

Que chacun de nous examine son propre esprit, qu'il cesse de donner son adhésion à toute une foule d'idées et qu'il utilise celles qui peuvent l'aider à suivre la Voie.

En terminant la classe de Zen, nous nous posons les questions suivantes auxquelles nous devons répondre en toute vérité.

1. — *Suis-je toujours conditionné mentalement et dans quelle*

proportion ? Suis-je toujours profondément attaché à tel ou tel d'une centaine d'opinions et de points de vue ?

2. — *Suis-je encore lié par mon éducation à certaines idées sur la religion, la politique, les problèmes sociaux ?*

3. — *Suis-je encore prisonnier de mon tempérament, extraverti ou introverti, du fait que je suis intellectuel ou homme d'action, homme ou femme, jeune ou vieux ?*

4. — *Puis-je vraiment voir honnêtement le point de vue d'autrui sur toute question qui se présente ?*

5. — *Puis-je me représenter, même vaguement, une vérité qui soit au-delà des couples antagonistes et qui existait avant l'apparition des différences ?*

13

LE BOUDDHISME ET DIEU

Dans la première phase nous avons parlé des concepts, des croyances et des conclusions qui enchaînent l'esprit et lui rendent inintelligible l'idée d'un esprit qui ne se pose nulle part. Une telle attitude repose sur l'idée d'autorité.

Dans la deuxième phase nous parlerons du contrôle à exercer sur l'esprit, c'est-à-dire de l'aptitude à choisir à son gré ses pensées. Cela implique une liberté par rapport aux contraintes extérieures et la possibilité de réagir aux stimuli selon un choix. Mais cela implique aussi le refus du sentiment d'autorité et pour beaucoup d'étudiants l'autorité est le symbole de Dieu. Examinons en détail ce lien particulier, un exemple parmi cent autres.

Nous autres, Occidentaux, sommes plongés dans l'idée de Dieu. La plupart d'entre nous sont élevés dans une atmosphère chrétienne. On nous apprend, à un âge où l'on est très impressionnable, l'histoire de Jésus et les enseignements du christianisme. Ceux-ci sont fondés sur le concept d'un Dieu qui est à la fois absolu et personnel, créateur tout-puissant de l'univers, qui répond néanmoins aux besoins de la plus infime de ses créatures. Comme enfant, nous avons pu être intrigué par les sentiments confus et contradictoires de l'humanité envers cet être suprême qui aime et punit, qu'on craint et qu'on adore, bonté absolue qui permet au mal d'exister et qui tout en étant le créateur de toutes choses ne s'intéresse qu'à une faible proportion des habitants de cette petite planète. Cette ambivalence affective résulte du fait qu'on a projeté dans le ciel un Dieu dont les caractères reflètent ce qu'il y a de meilleur et de pire dans l'esprit du Proche-Orient. « Au commencement Dieu a fait l'homme à son image et celui-ci lui a ensuite retourné le compliment », a-t-on pu dire.

Mais il est plus facile d'analyser cet aspect de Dieu et de

le rejeter que de l'arracher sans laisser de racines dans ce que Jung appelle l'inconscient personnel. En tant que concept métaphysique, au même titre qu'une théorie de la causalité cosmique, ou que l'ultime rapport des parties et du tout, il n'est pas dangereux. Comme le dit Jung dans *Le Secret de la Fleur d'or* : « Si j'accepte le fait qu'il y a un Dieu absolu, en dehors et au-delà de toute expérience humaine, il me laisse froid. Mais si, en revanche, je sais que Dieu a une puissante influence sur mon âme, je dois être concerné par lui ; il peut même devenir très désagréablement important... » La distinction est profonde car nous ne pouvons « comprendre » ni les premiers commencements ni les fins ultimes. Et il ne sert à rien d'en discuter. Sur ces questions le Bouddha observe un « noble silence ». En tant que produit de la pensée, Dieu est un habitant inoffensif de notre ciel spirituel, car au mieux c'est une création de l'esprit, sans rapport avec la réalité et la pensée ne peut ni le contacter ni le décrire. Mais en tant que fait psychologique, « influence puissante », Dieu est aussi réel que tout ce qui fait partie d'un monde de réalité relative. Et, à cet égard, nous ne pouvons exclure Dieu de notre esprit, à notre gré. Pour cela il faut opérer, en sens contraire, le mouvement de projection qui a créé ce Dieu, jusqu'au moment où le penseur courageux se trouvera face à face avec sa propre ombre.

Cela demande un grand courage car nous nous plaisons à reprocher aux autres nos propres défauts ; qu'il me soit permis de citer Jung encore une fois. « Celui qui a ce courage sait que le mal qui existe dans le monde est en lui et s'il parvient à s'accommoder de sa propre ombre il a apporté quelque chose au monde. Il a résolu une partie infinitésimale des énormes problèmes sociaux de notre époque... » Et du point de vue bouddhiste, il a fait davantage. En acquérant « la réflexion et la maîtrise de soi, il travaille avec diligence à son salut. » Mais si le sage doit cesser de projeter sa propre ombre, le côté sombre de son âme, sur ceux qui l'entourent, il doit aussi apprendre à ne pas placer ses besoins spirituels dans l'idée confuse d'un Dieu péniblement humain. Les dernières étapes de ce mouvement sont les plus dures, car c'est une vérité paradoxale de dire que plus la projection est proche, plus il est difficile de l'analyser et de la supprimer. Nous voyons combien il est déraisonnable et fou d'adorer un dieu tribal à l'occasion de fêtes religieuses ou nationales ; il est plus difficile de reconnaître nos idéaux ou nos phobies sous la forme de dieux projetés.

Quand notre Dieu en est réduit à n'être plus qu'une entité sans âme, « l'État » c'est tout de même une projection de notre insuffisance individuelle. S'il devient encore plus petit, sous la forme de tel ou tel « organisme » par exemple cher aux officiels et aux fonctionnaires, ou s'il est même la Science, il plane encore dans notre ciel mental avec une mystérieuse autorité qui nous empêche d'accomplir avec diligence notre propre salut.

Quand notre dernière projection a disparu, que reste-t-il du firmament spirituel ? Une multitude de dieux de tous âges, de toutes formes dans la hiérarchie divine. Brahma, Shiva et Vichnou. Dieu le père, le fils et le Saint-Esprit. Ahura-Mazda, Jéhovah, Allah, et tous les dieux de l'Orient. Aujourd'hui, tous sont considérés comme des produits du cerveau humain, comme des signes et en même temps des symboles apaisants de son sous-développement. Depuis l'arbre sacré du sauvage avec lequel il est toujours en *participation mystique*, comme le dit Lévy-Bruhl, jusqu'aux dieux de l'Olympe et aux dieux nationaux des religions théistes, tous existent, dit le bouddhiste, mais tous sont « attachés à la roue » et n'ont pas obtenu la délivrance. Et les démons sont aussi nombreux que les dieux, car le démon n'est que l'envers de Dieu, l'ombre de la lumière. Adorer l'un et adresser des prières propitiatoires à l'autre est également signe de faiblesse, et toutes ces entités cachent au regard de l'homme la vérité qu'il brûle de connaître. Il en est de même des religions qui sont fabriquées par les hommes pour honorer tel ou tel dieu. Ce sont des radeaux qui peuvent servir à traverser le fleuve de la vie et qu'on abandonne lorsqu'on aborde l'autre rive... ces religions peuvent être des boucliers qui cachent une vérité que l'on ne veut pas voir. Le dieu peut aussi tenir lieu de l'effort qu'il faudrait faire pour lutter dans la solitude. Si l'on dit : J'ai besoin d'une béquille pour m'aider à marcher, fort bien. Mais employer une béquille tout en prétendant qu'on peut s'en passer, c'est mentir à soi-même, ce qui est le pire des mensonges.

Peut-être peut-on résumer l'attitude de tout homme par rapport à Dieu par l'une des deux propositions suivantes : projeter le concept le plus élevé de l'absolu ou effectuer un double mouvement, qui consiste d'une part à présenter cet absolu comme inconnaissable, mais d'autre part à l'utiliser comme une force cosmique intérieure illimitée.

Cette dernière méthode, qui est sûrement préférable, est celle du bouddhiste, alors que la première est surtout utilisée par les Yogi Bhakti. Car l'absolu étant par définition absolu, il est en dehors du relatif et il est vain d'essayer de l'exprimer ou de le décrire par des mots. Comme le dit Eckart, « tout ce que l'on peut dire sur Dieu est mensonger ». Et « le Tao que l'on peut exprimer n'est pas le Tao éternel », disait-on dans la vieille Chine. Si l'absolu est un concept, il est nécessaire à nos esprits qui ne connaissent que la relativité. En termes bouddhistes, « il y a un non-né, car sans cela il n'y aurait pas moyen d'échapper à la naissance, au devenir. » Cette conception de l'absolu est la plus haute pensée possible sur Dieu. Dès les débuts du monde, les plus grands esprits ont tenté d'exprimer leur vision de cet absolu. Dans des anthologies, comme *Perennial Philosophy* d'Aldous Huxley, des points de vue, divers par la forme, mais semblables dans le fond, sont rassemblés et présentés au monde qui pense. Mais le Bouddha a observé un silence « fracassant » au sujet de CELA qui est au-delà de l'unité et de la multiplicité.

Lorsque l'esprit épuisé bat en retraite, après d'infructueuses tentatives pour essayer d'atteindre ce qui est inaccessible par le mouvement de la pensée, il cherche des signes de remplacement, des symboles pour exprimer l'inexprimable. Se rendant compte que le pèlerin ne parviendra jamais par la connaissance à la conscience ultime, le bouddhiste montre le chemin que l'Éveillé proclama il y a 2500 ans. Les pensées non profitables sont alors laissées de côté et l'esprit lutte pour développer l'intuition, seule faculté capable de connaître l'absolu, ce « troisième œil » qui permet de saisir la partie et le tout, qui ne font qu'un, et l'absolu sous ses formes infinies et changeantes.

Celui qui s'engage sur cette voie doit avoir comme dieu l'Absolu. Le Bouddha et ses Disciples sont pour lui des guides, non des dieux, des êtres humains qui, parmi la multitude, ont trouvé CELA. Mais l'homme est paresseux, il a peur et psychologiquement manque de maturité. Il réclame une béquille pour l'aider à marcher, il appelle un sauveur pour porter, ou partager avec lui, les fardeaux qu'il s'impose à lui-même, mais qui n'en sont pas moins lourds pour cela. Il préfère projeter ses insuffisances et adorer, supplier et soudoyer un Dieu qu'il s'est créé, et lui faire supporter les conséquences de ses erreurs. Il en est ainsi de toutes les religions théistes, depuis le dieu tribal du sauvage jusqu'au panthéon hindou, infiniment complexe, qui reste aux yeux de l'Hindou cultivé un modèle de la manifestation du premier Brahmane. Le bouddhisme lui-même s'est altéré par rapport à son état de perfection et on y trouve des offices avec prières et supplications que le Bouddha eût sévèrement condamnées comme ne faisant pas partie de la Voie.

Néanmoins il y a une vérité dans le théisme et le bouddhiste qui a acquis son propre salut se rend compte des secours que peuvent y trouver d'autres qui sont moins forts que lui. Grâce à la vision qu'il a d'un dieu transcendant, il sait que l'Absolu est immanent dans le moindre brin d'herbe et qu'il trône dans son propre cerveau humain. L'univers entier est en lui, avec sa force, sa compassion, sa sagesse et sa beauté et entre lui et l'Absolu il n'a pas besoin d'un dieu, mais il sait que certains ont besoin d'être soutenus pour cheminer sur la Voie. Que certaines âmes moins développées qui, de vie en vie, se dirigent vers la lumière, ont besoin d'une corde pour escalader la montagne, d'un dieu qui du sommet les appellera et les tirera à lui. Ainsi on invente Dieu, on le dote d'attributs qui, splendides ou misérablement humains, sont le reflet de l'esprit créateur — et on lui donne le pouvoir de laver le pèlerin de ses péchés et de le mener vers cette pure illumination intérieure qui attend d'être découverte.

Mais ce dieu doit être souple et avoir la possibilité de se développer. Pour le petit enfant, la mère est dieu, puis le père. Puis la projection se pose sur un maître, puis l'image de dieu se dissout dans l'abstraction. Dieu est né, très vague et assez effrayant. La puissance intérieure est projetée à l'extérieur et pendant la plus grande partie de notre vie d'étourdi, nous nous contentons de ce que les Japonais appellent *tariki*, nous cherchons notre salut auprès d'une autre puissance jusqu'à ce que nous arrivions au salut par nous-même et découvrions que Samsara et Nirvana ne font qu'un.

L'idéal, pour changer de comparaison, devrait toujours être en avance sur nous et Dieu devrait être un condensé des meilleures pensées et des meilleurs sentiments de nos ambitions non encore réalisées. Car Dieu, en tant que concept, est sujet au changement, comme tout le reste de l'univers. Un dieu immuable est une pierre d'achoppement car rien n'existe que l'Absolu et lorsque le pèlerin, son dieu et l'Absolu ne feront qu'un, à ce moment là seulement, la trinité se fondra en une conscience réelle. Le reste est silence.

Le bouddhiste ignore l'Absolu qu'il ne peut concevoir et avance vers une conscience réelle de CELA qui est au-delà de la pensée. Il attend d'arriver au sommet de la montagne pour

s'interroger sur la nature de l'Absolu. En attendant il scrute
les profondeurs de son esprit et y trouve tout ce dont il a besoin
au cours de son chemin. Comme il est dit dans *La Voix du
Silence* : « Regarde en toi-même, tu es Bouddha », et comme
le fit remarquer Hui-Neng, le patriarche Zen : « D'après la
nature du Bouddha, il n'y a pas de différence entre un homme
éclairé et un ignorant. La différence consiste en ce que l'un
des deux sait qu'il l'est, et l'autre pas. »

Une autre attitude devant l'Absolu consiste à projeter entre
l'esprit humain et la réalité un concept qu'on fabrique avec
les attributs de l'homme — cette attitude ne convient pas au
bouddhiste. Dans le panthéon bouddhiste, un tel dieu est moins
qu'un humain et ne mérite pas plus de respect que toutes les
autres petites divinités, forces de la nature, aspects personni-
fiés des lois cosmiques, etc... Aucun de ceux-ci ne mérite d'être
vénéré, car ils ne possèdent pas d'influence sur la vie des hommes — influence qui d'ailleurs ne leur a pas été accordée.

Le bouddhiste occidental doit abandonner ces dieux et ces
projections s'il veut progresser dans la Voie. En cours de route
il s'apercevra que nombreux sont ceux qui n'ont pas battu
en retraite. En outre, il découvrira que le dieu qu'il croyait
détruit n'est pas seulement un produit de la conscience mais
de l'obscur inconscient, pas seulement une création de la pensée mais une projection mentale qui est toujours au-dessous
de l'horizon. Notre évolution mentale semblerait alors nécessi-
ter que le petit esprit conscient détruisît le vaste inconscient.
Nous devons étouffer en notre esprit cette « chose » qui était
Dieu, sans pour cela tomber dans la folie des grandeurs et
imaginer que nous devenons ce dieu. Car s'il est vrai que chacune des parties se développe et devient le Tout et que « l'âme »
devient « Dieu », ce processus mystique est un mouvement
d'humilité et non d'orgueil. Le sot prétend qu'il est un Dieu.
Le Bouddhiste sait que ce chemin est un cul-de-sac et mène
à la folie spirituelle. C'est seulement quand le moi meurt et
fait place à Sunyata — le Vide — qui seul est plein, que la
partie redevient le Tout.

Qu'arrive-t-il quand cette idée de Dieu, produit de la pensée et fruit de l'inconscient, est enfin abandonnée ? Pour commencer on éprouve un grand soulagement, une irruption de
lumière, comme lorsqu'on abat un grand arbre qui poussait
devant la fenêtre. Puis un équilibre s'établit, tandis que le
poids de la responsabilité tombe sur vous au lieu de s'appuyer
sur un objet extérieur. La tension émotionnelle cesse, car il

n'y a plus de sollicitations venant de l'extérieur, ni amour, ni crainte, ni adoration, ni attente. A sa place il y a un univers qui, bien qu'illusoire, est, dans un monde relatif, l'enfant de la Loi. Le pèlerin poursuit son chemin et il sait où il en est et où il va. Il aura à lutter contre des forces multiples et variées, destin, fortune, terreur aveugle et doute, mais il saura qu'elles viennent de son propre inconscient et il apprendra à leur tenir tête.

Si le complexe de Dieu est complètement détruit, et que rien ne lui soit substitué, le pèlerin s'effraiera d'abord puis sera enchanté de voir qu'il s'est libéré de tout « sauveur ». Il n'en a plus besoin. Acquérant une conscience de plus en plus vive de l'identité de toute chose vivante — et rien ne meurt — dans le monde *maya* (phénoménal) qui l'entoure, sa compassion de bodhisattva devient de plus en plus authentique et forte. Privé de Dieu, il trouve Sunyata, le vide caché sous le phénomène, le néant apaisant qui est l'essence de chaque « chose ». Il apprendra à trouver *tout* dans chaque chose, à voir que tous les moyens sont des fins en soi et d'égale importance et que la partie est en vérité le tout.

Sur le chemin il créera, utilisera et abandonnera nombre de maîtres, de points de vue, de demi-dieux et d'idéaux. Mais il ne s'arrêtera jamais. L'Absolu l'envahira de plus en plus, sans qu'il l'appelle et presque à son insu. Là est la signification du *takiri* japonais, le salut par l'autre pouvoir, mais ce pouvoir, quand on le trouve, est au-dedans de nous-même, et il ne fait qu'un avec la Toute-Puissance qui, bien qu'elle se manifeste à nos yeux, est l'Absolu inaccessible.

Au-delà de la diversité il y a l'unité, qui est d'abord un concept puis une expérience. Au-delà de l'unité il y a CELA qui est au-delà de l'unité et de la diversité. Au-delà de CELA, le silence. C'est au cours de cette superbe expérience que le moment de la vérité survient. Quand elle nous aura complètement consumé, dévoré, quand le moi, épuisé, n'exhalera plus la moindre plainte, nous connaîtrons Dieu tel qu'il est, non-né, non-composé, au-delà de tout nom. A partir de là nous devrons apprendre à vivre en conséquence.

Un sage soufi dit à un autre : « Dans tout ce que j'ai vu j'ai toujours vu Dieu. » Et l'autre lui répond : « Je n'ai jamais rien vu d'autre que Dieu. »

14

DEUXIÈME STADE :
LA NON-PENSÉE

La première phase était destructrice et remplie d'abandons des adhésions passées. Nous arrivons maintenant au contrôle de la pensée. Nous inspirant des principes fondamentaux selon lesquels il faut utiliser et développer la pensée jusqu'à son extrême limite afin de transcender ses limites, et persuadés qu'il n'y a pas de détours possible ni de raccourci pour arriver à l'illumination, nous devons apprendre à faire un choix dans nos pensées, et refuser que des pressions extérieures nous les imposent ; enfin, dégager notre conscience des mécanismes qu'elle emploie.

Dans ce but nous devons prendre en main les coursiers de la pensée pour ne pas nous laisser entraîner dans le tourbillon du monde extérieur (Samsara). Cela est extrêmement difficile, si difficile que la plupart des soi-disant systèmes de méditation ne sont guère que des méthodes. La vraie méditation, comme nous le verrons ultérieurement, est l'exercice délibéré d'un esprit entièrement contrôlé et orienté vers des fins spirituelles. Contrôle est le mot essentiel.

Pour le moment tournons-nous vers la métaphysique, ensemble de vérités spirituelles dont la physique est la contrepartie matérielle. Comme le dit Maître Huang Po au début de ses sermons : « Tous les Bouddhas et tous les êtres sensibles ne sont qu'un seul et unique esprit, à côté de quoi rien n'existe... Cet esprit unique est le Bouddha et il n'y a pas de différence entre le Bouddha et les êtres sensibles sauf que ceux-ci sont attachés aux formes et recherchent la bouddhéité à l'extérieur. » Que les savants occidentaux appellent cela mysticisme ou philosophie de l'idéalisme absolu, peu importe. Pour tous ceux qui ont accompli l'expérience Zen, c'est complètement vrai.

Beaucoup de choses s'ensuivent ; mais pour nous, trois observations suffiront. Premièrement, pour parvenir à voir que le monde est « Esprit-Seulement », il faut développer l'intuition Prajna, et c'est un long processus qui implique la transcendance de pensée. Répétons-le, ce processus est progressif. Ce n'est qu'après avoir gravi le mât aux cent pieds ou les marches jusqu'au sommet, que l'on pourra faire un brusque saut dans la conscience Zen. Deuxièmement, l'enseignement philosophique Zen, le vaste champ de la littérature connu sous le nom de Prajna-paramita, « la Sagesse qui est allée au-delà », nous seront d'un grand secours. Elle fut écrite par de très grands esprits et seuls les très grands esprits la comprennent. Le Dr Conze et d'autres en ont traduit des parties et le Professeur Murti a fait ce qu'il a pu pour la rendre intelligible aux Occidentaux ; elle représente le niveau le plus élevé qu'ait jamais atteint la pensée humaine. Servant de complément à cette École Madhyamika de Nagarjuna, l'École de « l'Esprit-Seulement » exprime sa doctrine en termes de ce que l'Occident appelle la psychologie. Ces deux écoles s'accordent à dire qu'il n'y a rien que l'esprit et qu'il est vide de tout prédicat, de tout attribut, de toute chose. Mais de même que le « Non-Né » s'est exhalé, comme disent les Hindous, et a pensé l'univers que nous appelons Samsara, de même nous pensons avec notre esprit individuel, chacun de nous ayant des pensées plus ou moins élevées dont il est responsable.

Troisièmement, notre esprit est dualiste, ses aspects hauts ou bas sont pratiquement aussi différents que l'est l'ordre physique de l'ordre sentimental. Il faut maîtriser l'esprit inférieur et développer l'esprit supérieur qui évolue dans les vérités abstraites et éveille ainsi l'intuition, car c'est uniquement grâce à elle que nous connaîtrons les vérités Zen. Partant de la vallée remplie de brouillard, il faut s'élever jusqu'à la lumière du soleil, où la vue est plus étendue, l'air plus pur, et jusqu'au sommet où, dominant toutes les directions, nous verrons le soleil de l'esprit du Bouddha illuminer la terre et le ciel.

Travaillons. Ne supprimons pas la pensée, mais apprenons à la diriger à notre gré, c'est-à-dire à nous dissocier des idées bruyantes, à nous en détacher. Comme quelqu'un le dit avec esprit : « Je ne puis empêcher les oiseaux de voler au-dessus de ma tête, mais je peux les empêcher de faire leur nid dans mes cheveux. »

Les personnes éclairées remarqueront, une fois de plus, que

tout cela est perte de temps. Pourquoi nettoyer l'esprit alors qu'il est pur ? Je répéterai patiemment qu'il n'est pas pur. L'Esprit-Seulement est pur. Notre esprit n'est pas encore l'esprit du Bouddha, il ne l'est que virtuellement.

Pour pouvoir contrôler les pensées, il faut voir ce qu'elles sont.

Chacune de nos pensées est un produit séparé de ce que nous considérons vaguement comme étant l'esprit. L'imagination de l'enfant forme des images de tout ce qu'il voit, images qui sont ensuite revêtues de substance. Les vacances, une affaire commerciale, une invitation à déjeuner naissent dans l'imagination. Dans une machine à penser, idéalement contrôlée, ces images n'ont aucune interférence avec le désir personnel, égoïste (kama), qui essaie d'abaisser la pensée au niveau de sa propre illusion, tandis que l'intuition-prajna exerce une influence pour élever le niveau de la conscience vers le monde de l'illumination, le royaume impersonnel de l'esprit de Bouddha, de « l'Esprit-Seulement ».

Avec notre machine actuelle tristement incontrôlée, il est plus exact de se ranger à l'opinion du Maître K. H., citée par A. P. Sinnett dans *The Occult World* : « L'homme peuple continuellement son espace d'un monde à lui, rempli de ses caprices, de ses désirs, de ses impulsions et de ses passions, il réagit sur toute organisation sensible ou nerveuse avec laquelle il est en contact et proportionnellement à son intensité dynamique ». La durée et le pouvoir de la pensée dépendront de la netteté de sa conception, de la force de volonté qui l'animera et de sa répétition dans le courant des habitudes. Ses effets suivront le motif qui est derrière la volonté créatrice. Chacune de ces pensées est une « chose », ayant sa propre substance, invisible à l'œil nu, mais que peuvent voir ceux dont la vision est plus subtile. Les Tibétains ont acquis cette faculté de visualiser ce qu'ils construisent par la pensée et de l'utiliser dans leurs pratiques religieuses. Comme tout pouvoir, celui-ci peut être utilisé pour le bien ou le mal. Le bien est présent dans la bonne volonté, dans les idées apaisantes et les bénédictions ; le mal est engendré par la haine, il apparaît dans certaines formes de transfert de pensée, dans l'abus de l'éloquence de foule et dans les abominables pratiques de « lavage du cerveau ». C'est le plus grand pouvoir que l'homme possède. On dit qu'il n'y a pas de force aussi puissante au monde que celle d'une idée qui vient à son heure. (N'est-ce pas le cas de l'abolition de l'esclavage, des Nations Unies ou du marxisme ?)

L'exercice de la pensée peut faire l'objet d'un choix délibéré et être utilisé à un degré supérieur ou inférieur dans les affaires courantes, ou ce peut être simplement la réaction spontanée de l'esprit à un stimulus extérieur ou intérieur. Et lorsque cette idée suit le cycle normal, naissance, développement, déclin et mort, elle meurt. Et comme nous l'avons exposé dans la première phase, elle entrera alors dans l'inconscient ou constituera un facteur de distorsion lorsque se présenteront à nous de nouvelles idées.

Rappelons-nous le lien qui existe entre chaque pensée chargée ou non d'affectivité, et l'esprit du père. Toutes les pensées constituent le Karma, c'est-à-dire qu'elles produisent un effet qui réagit d'abord sur celui qui pense, puis sur toute l'humanité. Tout conditionnement est le Karma visible. Il faut répéter que nous *sommes* ce que nous nous sommes faits par la pensée et notre devoir est de nous dégager de cette emprise.

Observons de plus près une pensée. Sa nature est de diviser, de comparer et de distinguer, puis d'ajouter approbation ou désapprobation. Une pensée n'est jamais complètement vraie car elle est faite de limitations, du choix de tel ou tel attribut parmi des milliers. Définir c'est limiter ; la définition tue la force vitale d'une pensée. Une description est incapable de transmettre l'expérience, aucun système de pensée ne peut le faire, pas même l'énorme masse qu'on appelle le bouddhisme. Les pensées, comme les sentiments, ne présentent que des produits d'expérience directe qui, étrangement, ne nous parviennent que par les sens et l'intuition. En vérité, « l'esprit est l'assassin du réel », comme il est dit dans *La Voix du Silence*. « Que le disciple tue donc le tueur », dit Huang Po avec sa concision habituelle. « L'ignorant ne regarde pas les phénomènes, mais ne renonce pas aux pensées ; le sage évite de penser, mais pas de voir les phénomènes. » Le Zen ne fait appel qu'à l'expérience directe, soit par l'intuition (Satori), soit à l'autre bout du spectre, sur le plan physique. « Quand j'ai faim, je mange. Quand je suis fatigué, je dors. »

Alors que l'intelligence est une machine magnifique pour atteindre et exprimer la vérité dans un monde de relativité, elle ne peut *connaître* directement, et ainsi elle associe et fond dans une même expérience l'investigateur, l'enquête et l'objet de la recherche. La connaissance directe est la prérogative de l'intuition, son unique fonction, son seul but et son seul pouvoir.

Examinons certains emplois de la pensée que nous devons contrôler particulièrement. Et d'abord l'habitude que nous avons de projeter nos impressions dans le monde extérieur, comme C. G. Jung l'a fait savoir en Occident. « Notre vie psychologique courante est remplie de projections. Elles pullulent dans les journaux, les conversations, les bavardages... Nous croyons savoir ce que les autres pensent... Nous sommes convaincus que certaines personnes ont tous les défauts que nous ne connaissons pas. Nous accusons le monde entier de nos propres erreurs. Les autres ont tous les défauts mais nous en sommes exempts. Celui qui assume ses propres responsabilités et reconnaît ses erreurs mérite le nom d'homme. » Il possède la maîtrise de soi. « Il sait que le mal qui règne dans le monde est en lui et s'il parvient à s'accommoder de son ombre il a déjà accompli quelque chose. Il a au moins réussi à supprimer une part infinitésimale des insolubles problèmes sociaux de notre époque. »

Ce résultat ne s'obtient pas en stoppant nos processus mentaux. Il ne suffit pas de pratiquer la méditation assise pour exercer le contrôle de l'esprit. Hui-Neng déclare brutalement : « Cesser de faire travailler son cerveau et rester tranquillement assis à méditer est une maladie, ce n'est pas le Zen. » Samadhi n'est qu'une étape. Sila, Samadhi, Prajna, tel est le message Zen. Sila, la morale, vient en tête. Ensuite Samadhi, le contrôle de l'esprit, enfin Prajna, la percée dans l'illumination du Non-Esprit.

Troisièmement, nous aurons besoin de toute la puissance de notre esprit pour effectuer cette percée dans le Non-esprit. Phiros Mehta attaque depuis longtemps notre « bavardage mental ». Nous gaspillons notre puissance comme le fait le moteur d'une voiture de course ; il y a chaque jour déperdition de force alors que nous avons un besoin urgent de cette force pour la concentration d'esprit à laquelle nous aspirons. Si nous voulons « pousser la vapeur » pour tenter une trouée, nous ne devons pas gaspiller la pression que nous essayons d'obtenir.

« Pense au Zen, à la vacuité, au Bien et au Mal et tu auras pieds et poings liés. Pense seulement et uniquement à ce que tu fais en ce moment et tu seras libre comme un oiseau », déclare R. H. Blyth.

Nous devons — au moins — apprendre à réagir modérément aux stimuli extérieurs, annonces, publicités, informations de la presse ou bavardages futiles. Nous pouvons refuser de nous intéresser aux questions qui ne nous concernent pas. Abandonnons la discussion, comme le dit Hui-Neng, « elle implique un désir de triompher, fortifie l'égotisme et nous enchaîne dans l'idée que notre « moi » a une nature permanente. » Cessons aussi de blesser les autres par des paroles inconsidérées ou même malveillantes.

Si cela affecte fâcheusement notre vie sociale, qu'importe ? Nous sommes concernés par la vie Zen, non par l'opinion des amis d'autrefois. Sohateu Ogata écrit : « Le Zen est un mode de vie fondé sur un point de vue nouveau », celui de la non-dualité et pour l'adopter il faut sacrifier de bon cœur les conversations banales, les bavardages et les vaines critiques dans lesquelles nous perdons une si grande partie de notre vie présente.

Apprenons à être vulnérables à la critique, à ignorer ce qui ne nous regarde pas, à admettre que nous ne comprenons pas ce que nous voudrions comprendre, même s'il s'agit du bouddhisme. Sommes-nous capables d'être attentifs et de garder notre calme à toute heure du jour, de conserver une neutralité d'esprit sauf dans les cas où nous estimons nécessaire d'intervenir, de nous replier en nous-même, comme la tortue ; de nous reposer au centre sans espoir et sans crainte, sans désir ni haine et sans opinions particulières ?

Faisons ami avec le silence « au point central et tranquille du monde en mouvement ». Alors une puissance nouvelle se manifestera, à travers laquelle brillera la lumière de l'intuition. Alors nous utiliserons l'instrument de la pensée aussi facilement que nous manions aujourd'hui une tondeuse à gazon, un magnétophone ou une voiture. Le moi interviendra naturellement, avec une centaine de méthodes de frustration. Il faut le laisser mourir ainsi que les « trois feux » de la haine, de la convoitise et de l'illusion. Fais ami avec le moi car on ne le tue pas facilement. Mais si l'on cesse d'alimenter son égoïsme et si son propriétaire, trop occupé ailleurs, le délaisse, il finira par mourir. Fais en l'expérience.

En attendant posons-nous les questions formulées dans ce programme.

1. — *Suis-je capable de rester longtemps sans réagir aux événements extérieurs ? Sans réagir aux pensées qui affluent dans le cerveau sans y avoir été invitées ? Puis-je cesser, à volonté, le « bavardage mental » ?*

2. — *Puis-je cesser d'approuver ou de désapprouver ce que*

*disent ou font les autres, que j'exprime ou non mes sentiments ?
Suis-je vraiment capable de ne m'occuper que de ce qui me regarde ?*

*3. — Ai-je la force morale de refuser de me faire une opinion
sur ce qui se passe autour de moi ? Puis-je changer franchement
d'opinion ?*

*4. — Puis-je laisser les vagues de la pensée s'apaiser et appren-
dre à rester calme en sachant que je suis Dieu ? C'est-à-dire que
j'ai en moi l'esprit du Bouddha ?*

*Suis-je content d'être seul, de temps en temps, avec le silence,
demeurant constamment au centre paisible du monde en mouvement et conservant cette position au milieu de l'univers bruyant ?*

15

MÉDITATION : INTERLUDE

Nous avons, jusqu'ici, considéré l'ensemble des pensées que nous devons abandonner et auxquelles nous sommes profondément attachés. Nous avons compris la force de ces adhésions qui rendent dérisoire l'idéal qui est de « laisser l'esprit ne se poser nulle part ». Puis nous avons examiné la machine à penser et la nature des idées et des concepts. Nous avons vu qu'une pensée a une durée et un effet karmique sur nous-même, qui l'avons créée. Nous avons observé cet instrument qu'est l'intelligence, qui produit une grande variété d'idées dont certaines sont choisies et voulues et dont la plupart sont, à notre honte, des réactions automatiques aux stimuli intérieurs et extérieurs. Tout ce travail sur les mécanismes de la pensée est sans importance spirituelle, mais sans lui, il serait impossible d'accomplir le chemin qui reste à faire.

A partir du moment où l'on prend en main la machine-à-penser, on aborde la pratique séculaire de la méditation. Si le but de l'initiation Zen est d'atteindre l'extrême limite de la pensée puis de transcender ses limites pour atteindre la conscience Prajna, qui est la vision directe des « choses telles qu'elles sont », il faut employer tous les moyens possibles à cette fin. Dans le Zen, la méditation est placée au centre car ce mot est une déformation du chinois Ch'an, une variante du sanskrit Dhyana, qui signifie méditation. Certains ouvrages décrivent encore l'École Zen comme l'École de la Méditation du bouddhisme.

Le mot méditation recouvre des pratiques variées. Il répond ici à la définition suivante : méditer, c'est employer un esprit que l'on contrôle à une fin spécifiquement spirituelle, à l'éveil de l'intuition Prajna qui est aussi différente de l'intelligence que celle-ci l'est du domaine physiologique ou matériel.

Depuis des temps immémoriaux on a recours à la médita-

tion sous une forme ou une autre dans les écoles de spiritualité, qu'elles soient persanes, indiennes ou bouddhistes et la
prière chrétienne, dépouillée de son Dieu personnel, hyposta-
tique, est aussi une méditation.

Mais il s'agit ici de bouddhisme et en particulier de l'école
Ch'an ou Zen. L'étude de la méthode Theravada de Vipas-
sana, élaborée dans l'Abhidhamma pali, est recommandée
pour la formation mentale. Tout à fait différente, la méthode
tibétaine est également difficile pour un esprit occidental.
Il y a deux écoles Zen, le Zen Rinzai que les pays occidentaux connaissent à travers les écrits du Dr Suzuki, et le Zen
Soto, peu connu en Europe et peu apprécié, semble-t-il. Quand
nous parlons de la méditation Zen, nous parlons de celle de
l'École Rinzai.

Cette forme de méditation est très différente des autres.
Mme Beatrice Lane Suzuki, spécialiste de certains aspects
du bouddhisme japonais, écrit, dans *Impressions of Mahayana Buddhism*, un livre peu connu : « La méditation Zen diffère de la méditation en général, de celle qui est exposée dans
les ouvrages occidentaux : Pensée Nouvelle, Pensée Catho-
lique et autres — en ce qu'elle ne laisse pas l'esprit se fixer
sur une idée. Elle se distingue aussi de certaines pratiques
orientales qui stoppent le flot de pensée et se délectent dans
le néant. La méditation Zen a pour but de s'identifier avec
la réalité la plus élevée. Nous sommes habitués en Occident
à confondre la méditation avec l'idée de la bonté de Dieu ou
à choisir une pensée très noble que nous souhaitons nous incorporer. Le Zen souhaite au contraire que nous laissions de côté
de telles pensées. » Mme Suzuki estime cependant que l'esprit
a besoin d'un soutien, d'où la création du système Koan en
Chine, qui fut ensuite adopté par le Japon. Mais, pour les
raisons énoncées ci-dessus, nous ne pouvons pratiquer le système Koan en Occident. Alors qu'aurons-nous pour « soutenir l'esprit » pendant que nous luttons pour nous identifier
à « la plus haute des réalités » ? Je répondrai hardiment que
ce but souvent décrit comme la « recherche du moi » ou la
« fusion en l'esprit du Bouddha » n'a de valeur que si l'étudiant
est amené graduellement à prendre conscience de ce que ces
mots signifient vraiment.

Ces phrases indiquent seulement que la conscience doit
s'élever à un niveau où elle s'aperçoit qu'elle est, et a toujours été, l'esprit même de Bouddha. Comme le dit *La Voix
du Silence* : « Regarde en toi-même, Tu es Bouddha ». Ou,

comme le dit le Maître Huang-Po : « Tous les Bouddhas et tous les êtres sensibles ne sont qu'un seul et même esprit, en dehors duquel rien n'existe. » Ou encore, selon les termes du christianisme : « Mon Père et moi ne faisons qu'un. »

C'est pourquoi il est dangereux et fallacieux de parler d'aboutissement. Il n'y a rien à atteindre. Mais il faut faire un long voyage pour arriver à *voir*, par l'expérience, que cela est vrai. D'où ce processus, que nous recommandons ici, qui consiste à diriger la pensée et à développer l'esprit pour parvenir à la « pensée illuminée » qui commencera à percevoir une vision vraie des choses telles qu'elles sont.

L'étudiant aura déjà compris la valeur de « l'attention » perpétuelle, mot-clef de l'Abhidhamma. Mais avant d'appliquer son esprit à la méditation, il doit exercer un contrôle sur lui. La pratique de la concentration doit donc précéder celle de la méditation. Le meilleur des exercices est celui qui consiste à « surveiller sa respiration » ; tandis que l'air entre et ressort par le nez il faut veiller à ce qu'aucune autre pensée ne nous passe par la tête. Ce pouvoir de concentration, tous ceux qui sont bien insérés dans la communauté le connaissent. S'il n'exerce pas un considérable contrôle sur sa pensée, l'être humain ne dépasse pas le stade de la conscience animale.

La méditation revêt des formes très différentes. Pour la première fois l'esprit est orienté et dirigé vers des fins spirituelles. Observons le but de la méditation. Nombreux sont les étudiants qui diraient qu'ils y trouvent « le calme de l'esprit » et le Maître Hui-Neng dit que « méditer c'est réaliser en soi-même le calme imperturbable de l'essence de l'esprit ». Cela correspond à l'idéal exposé dans la *Bhagavad Gita* [1] et qui est de présenter « une constante fermeté devant tous les événements, qu'ils soient favorables ou défavorables. » D'autres répondraient que l'on médite pour « voir plus clairement le chemin ». Or il est difficile de s'engager dans un chemin sans avoir une idée de ce qu'on y trouvera et où cela vous mènera. D'autres encore, plus introvertis, évoqueraient le développement du caractère, ce à quoi Mme Suzuki ne fait pas allusion. Enfin, pour certains, la méditation a pour but de découvrir le moi, c'est-à-dire le Bouddha qui est en chacun de nous.

Cette aspiration est apparemment admirable car elle évite le grand danger de faire de la méditation une fin alors qu'elle

1. Épisode du Mahabharata où le dieu Krishna enseigne les voies de la méditation, de la dévotion et des œuvres (N.d.T.).

doit être un moyen, un des nombreux moyens qui conduisent
à l'éveil de Prajna. Néanmoins il convient de rappeler ici que
nous n'avons pas à nous mettre en quête pour atteindre quoi
que ce soit, car il n'y a rien à atteindre, rien à saisir. Peut-être
souhaitons-nous être libre, mais par rapport à quoi ? « Libérés de l'illusion que nous ne sommes pas libres », explique
R. H. Blyth. Le lama Trungpa eut raison d'écrire dans *Meditation in Action* : « La méditation est un but en soi... Elle permet de voir les choses sous un jour complètement différent
où la notion de but disparaît entièrement ». C'est l'idéal Zen.
D'après une traduction de Hui-Neng, le Dr Suzuki écrit : « Il
y a au fond de soi un élément qui sait et de ce fait on a un
satori » [1].

Mais si tel est le but de la méditation idéale, quel en est
le motif ? Car les deux termes sont très différents. Le but est
ce que nous essayons de faire, ce que nous souhaitons réaliser, le motif est le mobile qui nous fait agir. Il n'y a qu'un seul
« bon » motif qui est le profit de l'humanité. Que l'on professe
l'idéal d'Ahrat ou celui de Bodhisattva, en fin de compte l'effort
que l'on ne fait que pour soi même est infructueux car on ne
tarde pas à s'apercevoir au cours du chemin qu'il n'y a pas
de soi à éclairer. Cela étant compris, le problème du moi et
de ses instincts animaux sera résolu. Il y a l'esprit de Bouddha qui se manifeste sous un million de formes. Il y a la personnalité nécessaire, les quatre skandhas du bouddhisme fondamental, mais il y a aussi la conscience qui est revêtue d'un
« soi » complexe, enfant de l'absolu, usager de la personnalité,
qui évolue de vie en vie, tirant les leçons des erreurs passées, et évoluant dans des sphères toujours plus élevées pour
s'unir « au non-né, au non-conditionné » d'où qu'il vienne.
Rien de tout cela ne ressemble au moi de la pensée occidentale.
Illusion, idée stupide, a-t-on dit, que de croire que « j'ai des
intérêts différents des autres et incompatibles avec les leurs,
que je peux utilement travailler à mon propre développement
au détriment de toutes autres formes du principe de la vie
une. Quand nous abandonnons cette chère illusion, la plupart
de nos angoisses disparaissent et l'être humain — qui est tri-
partite, semble-t-il — est libre d'arriver rapidement à une
prise de conscience des choses « telles qu'elles sont » ». Dans
cette révélation de la conscience, les contraires sont les aspects

---

1. Satori : « but » du bouddhisme Zen. État de conscience qui dépasse
le plan de la discrimination et de la différenciation (N.d.T.).

jumeaux d'un processus universel inséparable, un retour à la source, à l'esprit de Bouddha qui seul existe.

La méditation est donc ambitieuse. Elle a ses dangers et il serait imprudent de les ignorer. Le néophyte risque de s'épuiser ou de se décourager et de tout abandonner. Mais l'excès d'efforts est absurde ici comme en sport. Il peut arriver que celui qui médite soit victime, à son insu, d'une erreur psychologique et qu'il prenne une expérience brève et banale pour l'Illumination. Dans ce cas il peut au contraire se poser en maître et entraîner les aveugles dans sa propre cécité.

Troisièmement, certains de ceux qui se livrent à la méditation recherchent ou souhaitent secrètement provoquer en eux un éveil des pouvoirs psychiques. Cela est pure folie car il est certain qu'utiliser ces pouvoirs à des fins personnelles risque d'avoir de terribles effets karmiques. Finalement, il y a, semble-t-il, une loi naturelle sur l'inconscience — loi qu'expliquent en partie les théories occidentales — et selon laquelle l'effort spirituel en avance sur l'humanité précipite ce qu'on peut appeler un Karma prématuré. Cela seul explique les événements inattendus et redoutables que rencontre souvent sur son chemin l'aspirant pèlerin. Celui qui médite avec sérieux doit supporter ces désagréments et continuer à avancer sans se laisser décourager.

En Occident, nous risquons de manquer de maîtres pendant encore longtemps. Il faut que nous les méritions, soit un gourou indien, soit un moine, pour ceux qui estiment qu'il faut porter un vêtement spécial pour exercer cette fonction, soit même un laïc s'il est assez compétent. Mais ils ont tous leurs limites et nombreux sont ceux qui ont la prétention que leur méthode surpasse toutes les autres. Or, pour méditer il n'existe pas une méthode unique, mais beaucoup ne sont pas satisfaisantes. Il faut trouver son propre chemin et se rendre compte aussi rapidement que possible que c'est en soi-même qu'on trouve le seul vrai maître. Je résumerai un passage du Roshi Sokei-an Sasaki : « Dans la méditation vous vous séparez de votre environnement et vous découvrez que le Bouddha est en vous-même. Il vous suffit de frapper à la porte et de demander à rencontrer le Maître. La réponse vient de l'intérieur. Mais pour cela il faut faire un effort et frapper à la porte de votre cœur. Et rappelez-vous que la porte du Temple n'est pas le Maître. Nombreux sont ceux qui croient que concentration et méditation constituent le bouddhisme. » C'est ici que réside le plus grand danger que j'ai déjà mentionné. La médi-

tation est au mieux un moyen et non une fin en soi. A certains
égards, la méditation n'est pas une chose naturelle et si longue
soit-elle, elle ne peut aboutir à l'Illumination. Les maîtres
Zen d'autrefois ne se lassèrent pas de montrer l'inanité de
cette « position assise », au sens de Dhyana. Hui-Neng répète
avec insistance dans son célèbre Sutra que Dhyana n'est qu'un
moyen pour arriver à l'éveil ou Prajna, c'est-à-dire à la conscience de la réalité. Depuis l'histoire de Matsu sur la futilité
de polir une tuile pour en faire un miroir, jusqu'aux ouvrages
du Dr Suzuki, les Maîtres ont attaqué « cette façon de disci-
pliner son corps en restant assis pendant longtemps, attitude
qui, disent-ils, est fixe, comparée à la constante mobilité de
la vie et qui n'appartient pas à l'activité naturelle du cerveau. » C'est certainement une culture forcée, une croissance
artificielle et dangereuse à ce titre ; néanmoins cette pratique
a sa valeur pour les bouddhistes occidentaux qui veulent associer la méditation et la pratique à l'étude théorique afin de
préparer l'esprit à l'expérience directe.

Il est inutile de discuter ici des nombreuses méthodes de
méditation. Contrairement à l'exercice du Koan au Japon,
qui dure des heures, la méthode populaire consacre régulièrement chaque jour un certain laps de temps à la méditation,
qui a lieu de préférence toujours au même endroit. Quant
au thème ou sujet, nous le verrons à la troisième phase de
notre programme. Pour quelques-uns, l'idéal est de se consacrer à la méditation toute la journée, de cultiver un état
d'esprit qui élève la conscience au-dessus des basses contin-
gences et qui sert de projecteur dans la nuit de l'ignorance.
C'est la forme la plus haute de l'attention, que le Lama Trungpa
appelle « la méditation laborieuse qui associe la sagesse avec
des moyens habiles comme les deux ailes d'un oiseau ». C'est
seulement d'un esprit aussi pondéré que l'on peut dire « qu'il
ne demeure nulle part ».

Cette pratique qui consiste à fixer son attention toute la
journée, même acquise modestement, est préférable à un programme quotidien avec heures et lieux fixes. Comme l'écrit
Trevor Leggett dans *A First Zen Reader* : « Se réfugier dans
la méditation puis reprendre en main les affaires — repos et
mouvement, retraite et occupation —, ce rythme alterné est
caractéristique du Zen. » On peut aussi « progresser » avec
joie tout en travaillant, vivre la vie « qui va ainsi », comme
le dit le Dr Suzuki, et... flotter avec son Karma en riant tout
le temps.

MÉDITATION

Laisse aller l'esprit. Sois calme. Évade-toi.
Vers des horizons lointains, inconnus, insensibles
La terre tourne et s'agite
Dans les affres et le tumulte des échauffourées.
Reste tranquille et sois absent de partout.

Retire-toi. Au loin, l'humanité dans son dépit amoureux
Mènerait une lutte acharnée pour prendre au piège
Le bon sens et la Sagesse. Ignore-la.
Les mains jointes, sois silencieux, maintenant.
Et, les yeux fermés, contemple les lueurs de l'obscurité.

Il n'y a plus que la distance et la vacuité des choses,
Et pourtant tu tiens l'infini dans chacune de tes mains.
Avec pondération, sans désir ni regret,
Exige pour vivre d'avoir un esprit libéré
Qui vole de ses deux ailes sans se poser nulle part.

16

TROISIÈME STADE :
RE-PENSER

Nous étant détaché des pensées existantes et ayant commencé à contrôler notre machine-à-penser, nous alimentons notre esprit de nouvelles idées vivantes. Celles-ci feront lever la conscience, qui, passant par la « pensée illuminée » et atteignant les limites de la pensée, abolira l'écran qui avait été créé entre l'esprit et l'expérience directe de la réalité.

Les maîtres Zen sont-ils d'accord avec ce processus ? Apparemment oui, mais non en réalité. On dit du Zen qu'il a horreur des abstractions. Cela est certainement vrai des vagues généralités qui n'ont aucun rapport avec le monde concret. Quant au raisonnement qui consiste à dresser des idées entre celui qui voit et ce qu'il essaie de voir, il frappe un coup mortel à l'expérience Zen. Mais si on lit avec attention la littérature des maîtres, on constate qu'ils distinguent la doctrine « morte » des idées « vivantes ». Le Dr Suzuki lui-même, qui fit connaître le Zen en Occident, est d'accord pour dire que la philosophie doit nécessairement faire partie de l'initiation Zen. Au Japon on lui reprocha d'avoir ramené le Zen au niveau de l'intelligence et d'avoir traité des sujets qui dépassent le domaine des mots. Sa réponse fut nette : pour susciter Prajna (la Sagesse), l'intuition et l'intelligence vont la main dans la main. Dans un manuscrit non encore publié il écrit : « Dans la mesure où nous vivons dans un monde où l'intellect joue son rôle et où nous sommes ainsi constitués que nous posons des questions devant toutes les situations où nous nous trouvons, il n'y a pas d'inconvénient à recourir à l'intelligence pour essayer d'élucider les problèmes. Ce que refuse le Zen, c'est de prendre l'intellect comme seul moyen de trouver une solution aux questions que nous soulevons. Il est dans la nature de l'intelligence d'explorer les mystères de la vie, mais c'est une grave erreur de se fier absolument à elle et de croire qu'elle donne satisfaction, surtout lorsque les questions concernent notre existence même. » Ces questions, explique-t-il, ne jaillissent pas de l'intelligence mais d'une source plus profonde que la curiosité. « Lorsqu'on intellectualise l'être, il n'est plus lui-même. Il a donc quelque chose d'inaccessible. Cette inaccessibilité, qui est pour nous une profonde satisfaction spirituelle, nous devons la préserver de toute agitation intellectuelle. Il faut se garder de troubler l'inaccessible et attendre qu'il soit prêt à nous donner sa réponse qui sera transmise par l'intelligence, mais en réalité inspirée à celle-ci par l'inaccessible lui-même. Plus les commotions seront fréquentes, plus profonde sera la satisfaction. C'est le mystère de l'être. » Finalement, dans ce passage, le Dr Suzuki demande au lecteur de ne pas mettre d'un côté l'intellection et de l'autre l'inaccessible. « Ne les opposez pas l'un à l'autre. Quelle qu'ait été l'opposition au début entre l'accessible et l'inaccessible, entre le connaissable et l'inconnaissable, entre la conceptualisation et la réalité, elle n'a plus cours. C'est ce qu'on appelle l'expérience Zen. » Il termine en faisant remarquer que « cette expérience n'a pas lieu sur le plan conceptuel mais existentiel ou empirique, non statiquement mais dynamiquement. »

Cela n'est-il pas une réponse à ceux qui se plaignent qu'on aborde le Zen par l'intelligence ? L'intelligence peut servir, surtout dans les pays occidentaux, mais ceux qui l'utilisent doivent connaître les limites de l'outil qu'ils ont choisi. L'intelligence est un instrument magnifique qui s'est honoré en déclarant que la vérité était au-delà de la pensée !

Donc il est bon d'étudier et de méditer pour assimiler ses connaissances, ensuite de mettre en pratique quotidiennement les principes abstraits. Nous devons être des chercheurs et non exercer notre mémoire comme des candidats aux examens et nous appliquer à trouver la preuve de la vérité par tous les moyens à notre disposition. Plus est perfectionnée la machine à étudier, et plus vite l'on atteindra l'au-delà de l'intelligence.

Ne nous laissons pas rebuter par le caractère majestueux et presque inabordable de cette vérité que nous étudions. Comme l'a écrit, à propos de la méditation, Dogen, le fondateur de l'école Soto au Japon : « Comment penser l'impensable ? Il faut penser au-delà de la pensée et de la non-pensée. C'est l'aspect important de la méditation assise. » On ne saurait exagérer l'importance de la recherche originale. « La vérité ressassée, dit Aldous Huxley dans *Adonis and the Alphabet*, n'est plus la vérité, elle redevient vérité quand on en a fait soi-même l'expérience immédiate. » Il définit parfaitement la différence entre le savoir et la compréhension intuitive. « On acquiert le savoir en faisant entrer une expérience nouvelle dans un système de concepts fondé sur notre ancienne expérience. Comprendre c'est nous libérer de cette expérience ancienne et établir un contact direct avec ce qui est nouveau, avec le mystère de notre existence. »

Or, nous savons que l'esprit fonctionne sur deux plans ; disons, en termes modernes, sur deux longueurs d'onde. L'esprit « de tous les jours » porte le poids du *kama*, désir égoïste, et nous passons la plus grande partie de notre temps dans la confusion et le désordre de la vie cérébrale et affective. L'esprit abstrait cherche sans cesse à s'élever, à accéder au plan de l'intuition. Entre ces deux formes de l'esprit la tension est continuelle, le Dieu qui est à l'intérieur et l'animal rivalisent et chacun veut être le maître. C'est la Source du bien et du mal, conscience, remords, idéal entraperçu et aussitôt perdu dans les brouillards de l'ignorance et des désirs bas. Nous pouvons bien nous moquer des formules creuses qui jalonnent notre vie publique et notre vie privée, telle que « Paix sur la terre — Fraternité des hommes », mais elles expriment des vérités qui dans le domaine de l'intuition Prajna sont des forces cosmiques issues du Non-Né, des lois intelligentes et vivantes qui désagrègent le moi.

Ces grandes pensées-forces concrétisent lentement les expressions et les manifestations de la Force vitale de l'univers. Disons que ce sont les flammes de l'Illumination qui éclairent les sommets de la pensée humaine. Elles sont comparables aux « Idées » de la philosophie grecque et aux « Archétypes » de Jung.

Il est impossible de les exprimer totalement par des mots ou de jouer avec elles dans le laboratoire de l'esprit philosophique. Elles ont un énorme pouvoir. Les « idées mènent le monde ». Ainsi que le Maître K. H. l'écrivait à Sinnett : « Quand les hommes reçoivent de nouvelles idées et laissent de côté celles qui sont périmées et désuètes, le monde progresse ; il en sortira d'importantes révolutions ; les institutions, les croyances s'écrouleront devant cette marche en avant. Il sera aussi impossible de résister à leur influence que de s'opposer au mouvement de la marée. » Et le Maître continue en insistant sur ce qui se passe dans la première phase : « Débarrassons-nous des déchets et des scories que nous ont laissés nos pieux ancêtres. Il faut planter les idées nouvelles sur une terre propre... » Ne devrions-nous pas être les premiers à digérer ces idées nouvelles, confirmées par l'expérience, et à les offrir humblement à toute l'humanité ? A vrai dire, elles ne sont pas nouvelles, nulle vérité n'est nouvelle, mais leur expression est nouvelle et dans ce sens toute pensée est une création neuve qui affecte, en bien ou en mal, l'humanité.

Dans le champ de la pensée, il n'y a pas de voie détournée. Au cours de notre étude nous ferons une distinction très nette entre une idée nouvelle intéressante et un principe cosmique. Arrivé à un point élevé de compréhension, les pensées basses ou de peu de valeur se dissiperont et du même coup la pensée y gagnera en altitude.

Cette évolution demande un certain courage. On ne peut manquer de se reporter à C. G. Jung qui, décidé à affronter l'étude de l'inconscient, se rendit compte que cette tentative risquait de le rendre fou. Le moi riposte évidemment pour conserver son existence propre. Mais il y a des moyens de sauvegarde. Ils sont au nombre de trois. Dans le bouddhisme Mahayana on trouve la trinité : Sila, Samadhi, Prajna. D'abord Sila, la morale au sens le plus large, car, comme le dit Suzuki, « l'étude du Zen exige une grande intégrité intellectuelle et une grande force de caractère ». Puis Samadhi, profonde quiétude d'esprit qui est un légitime objet de méditation. Enfin, le but : Prajna, le troisième œil de la conscience Zen. Pour monter nous utilisons une échelle. Devant les innombrables couples de contraires nous chercherons le Troisième terme qui est au-dessus et au-delà des deux (voir mon livre *Concentration and Meditation*). L'ouvrage de R. H. Blyth, *Zen in English Literature*, apporte de l'eau à mon moulin : « le mot *bon* est un mot relatif opposé à *mauvais*. Le mot *Bonté* est absolu et n'a pas de contraire. *L'Amour* est le moteur du monde. Enfin, en acceptant la pensée-force, condensée dans une capsule, nous la rendons plus facile à absorber. Pourtant, chacun des aspects de la Force vitale a derrière lui la puissance de la Vacuité, de l'Absolu, et accepter de vivre sous l'un de ces aspects, c'est comme si l'on ouvrait la bouche pour avaler les chutes du Niagara. Les résultats ne peuvent passer inaperçus.

Considérons certaines de ces pensées-forces, mais n'oublions pas que ce ne sont pas des dogmes, qu'elles ne sont pas spécifiquement bouddhistes et qu'il faut, pour les accepter, s'approcher du plan qui est le leur, celui de l'intuition Prajna, de la Sagesse incarnée.

Ce ne sont pas des dogmes et il faut veiller à ce qu'elles ne s'implantent pas dans l'esprit comme de nouvelles formes d'autorité. Mais ce sont plus que des hypothèses et elles ne sauraient être mises en question. Ce sont des forces intelligentes, vivantes, qui émanent de l'esprit de Bouddha et qui viennent entrer dans le vôtre et dans le mien. Pas exclusivement bouddhistes, d'ailleurs, et sous une forme ou sous une autre elles apparaissent dans presque toutes les grandes religions du monde. Mais de même que la vapeur se condense en eau et l'eau en glace, la puissance de chacune d'elles dépend de la place plus ou moins importante qu'elle occupe dans l'esprit, en tant qu'idée, concept, ou simplement comme de vieux clichés.

Examinons une liste de sept de ces pensées-forces, auxquelles l'étudiant en ajoutera bien d'autres. Ce ne sont pas des Koans, ces phrases qui n'ont pas de sens et dont on fait usage au Japon. Elles ont une signification et suscitent l'intuition. Chacune d'elles trouve son application et peut devenir un élément utile à tout moment de la journée.

Dans la classe de Zen, nous en avons pris quatre au hasard que nous avons groupées en deux couples : 1) La vie est une et indivisible, quelle que soit la multiplicité de ses formes. 2) Prajna (la Sagesse) et Karma (la Compassion) forment un tout un et indivisible et n'ont pas de sens séparément. 3) Le second couple est le suivant : l'Univers, harmonie totale. Celui qui rompt cette harmonie doit, d'après la Loi du Karma, la rétablir. Certains y introduisent aussi la Compassion, « loi des lois ». Et ceci conduit à cette conclusion magnifique et troublante : 4) « Tout est très bien. Oui, tout est très bien ! »

Trois autres pensées-forces ont d'évidentes similitudes entre elles et découlent de la même vérité. 5) Il n'y a pas de principe permanent dans les choses (Anatta). 6) Il n'y a pas de réalité des choses (Hui-Neng : Depuis les commencements il n'y a rien). 7) « Il y a la vacuité, mais la vacuité est pleine. » — Elle est ici même, a-t-on ajouté, ce qui m'a inspiré un petit poème : « Regarde le ciel ici-bas. » L'absolu est ici dans cette chambre ou il n'est nulle part. Enfin, un corollaire de la *Vie est une* : 8) « Il n'y a pas de mort. »

Cette liste n'a pas de fin et dans ce bref exposé du cours je ne puis présenter que l'une de ces pensées-forces : « La Vie est Une » et « Sagesse-Compassion. » Nous avons vu : « Si la Vie est Une » au chapitre 7, deuxième partie. Le chapitre suivant traitera brièvement le vaste sujet de Sagesse-Compassion.

17

SAGESSE ET COMPASSION

Prajna, la Sagesse, est le mot-clef du bouddhisme et, selon le Dr Suzuki, la réalité ultime. « L'intuition Prajna est la totalité des choses devenant consciente d'elle-même comme telle. » Cette intuition n'existe que « lorsque les objets perçus par les sens et l'intellect sont identifiés avec l'infini lui-même. » L'auteur s'explique. « Au lieu de dire que l'infini se voit en lui-même, il correspond mieux à notre expérience humaine de dire qu'un objet appartenant au monde de l'objet et du sujet, est vu grâce à Prajna, du point de vue de l'infini. L'intelligence nous informe que cet objet fait partie de l'univers fini, mais Prajna apporte la contradiction et déclare qu'il appartient à l'infini qui est au-delà du domaine de la relativité. Ontologiquement, cela signifie que tous les êtres ou objets finis n'existent que parce que l'infini existe et qu'il leur sert en quelque sorte de base.

« Prajna dépasse donc le champ de l'intelligence. C'est une connaissance d'un ordre supérieur, permise à l'esprit humain. » Une douzaine d'extraits de l'œuvre de Suzuki nous donnent une idée de la naissance de la sagesse transcendante. « Prajna jaillit de l'inconscient mais ne le quitte jamais, il en demeure inconscient. » C'est ce que veulent dire ces mots : « Voir c'est ne pas voir et ne pas voir c'est voir. » C'est pourquoi Hui-Neng remarque que « celui qui comprend cette vérité est « sans pensée, sans attachement ».

Ainsi Prajna semble être la divinité, l'Esprit Un, premier né du Non-Né, la conscience de l'Un avant qu'il ne devienne deux, et par conséquent il est la Non-dualité. En termes plus simples, « Prajna est le plus haut pouvoir spirituel que nous possédions qui nous permet de *voir* au-delà du domaine de la pensée et de toute fonction dualiste de l'esprit humain. » C'est une vue qui va beaucoup plus loin que Samadhi, qui est la contemplation passive de la réalité, plus loin que Dhyana qui est la méditation, ainsi que Hui-Neng l'a montré clairement dans différents textes. C'est l'activité proprement dite, mais sans objet. Et comme telle, c'est pour nous une affaire d'expérience qui échappe totalement aux possibilités de description de l'être pensant.

Cette prise de conscience immédiate et directe permet de voir toutes choses comme étant infinies et de voir l'infini à travers les choses finies. D'où la phrase célèbre de Suzuki : « Il n'y a d'infini que les choses finies. » Mise en pratique, c'est « la manière infinie de faire des choses finies » ; opération « inexhaustible », ajoute le *Tao Te Ching*.

Karuna, la Compassion, est sa moitié, son contraire indivisible. Chacune est l'autre, vue par les yeux de l'autre. Ce qui a fait dire à Suzuki au début de sa seconde conférence devant l'empereur du Japon : « Le vaste édifice du bouddhisme est soutenu par deux colonnes qui sont la grande Sagesse et la grande Compassion. La Sagesse découle de la Compassion et la Compassion de la Sagesse car les deux ne font qu'un. »

Mais Karuna, la Compassion, est une force qui a besoin d'être réveillée, bien qu'elle soit mise en valeur par la constante application de cette vérité que la vie est une. Elle apparaît et se développe quand meurt le « je » et que nous commençons à comprendre et à aimer mieux toutes choses. Blyth fait remarquer que « plus nous sommes proches de l'Esprit et plus nous le sommes des êtres », car nous percevons plus clairement l'unité dans son essence.

Prajna dépend peut-être davantage de la tête, du Yoga Jnana indien et Karuna du cœur, du Yoga Bhakti. La tête apprend ; le cœur sait ce qu'il a à faire. Les deux s'associent dans la pratique d'*upaya Kansalia*, moyens habiles d'aider, d'un million de manières, tous les hommes.

Mais ce ne sont pas deux vertus étroitement réunies, elles forment une seule force spirituelle ayant une expression dualiste dans le monde de la dualité. Peu importe qu'on la considère sous un double aspect, positif-négatif, passif-actif, ou statique-dynamique. Sans l'autre, chacune est incomplète. Nous ne savons rien tant que nous n'avons pas exprimé notre savoir au service de tous, nous ne pouvons aider l'humanité par notre compassion tant que nous n'avons pas acquis le savoir nécessaire pour bien agir. « L'expérience Zen à elle seule n'est pas suffisante, il faut en quelque sorte la rationaliser. Il faut qu'elle soit consciente d'elle-même et qu'elle parle haut.

En tant que couple indivisible, né d'une même source, nous pouvons peut-être distinguer les parties l'une de l'autre par leur fonction relative, la Sagesse étant l'Illumination intérieure et la compassion, l'illumination projetée vers l'extérieur. « Le Bouddha s'est éclairé lui-même par la Grande Sagesse et a sauvé tous les êtres par la Grande Compassion », a dit le Dr Masunaga. Le Dr Suzuki, qui, après tout, est notre plus haute autorité, décrit plus subtilement encore cette relation. Dans *Etudes du Sutra Lankavatara* il dit : « Prajna nous apprend à débarrasser notre intellect de discriminations erronées et d'injustifiables assertions ; quand ce nettoyage est terminé le cœur trouve de lui-même à exercer ses vertus naturelles. » Idée qu'il développe plusieurs années plus tard dans *Le Zen et la Culture Japonaise*. Lorsque nous atteignons Prajna, nous avons un aperçu de la signification fondamentale de la vie et du monde et nos intérêts personnels et nos peines cessent de nous tourmenter. Karuna est libre de suivre son chemin, c'est-à-dire que l'amour, qui n'est plus entravé par l'égoïsme, peut s'étendre et se répandre sur toutes choses.

Il est par conséquent nécessaire de développer Prajna, sous son aspect Sagesse, après quoi la Compassion, délivrée du joug de l'ignorance, avidya, et des trois foyers de la haine, de la convoitise et de l'illusion, pourra se mettre au travail et par sa toute-puissance faire le salut de tous les êtres.

Il faut nettement distinguer la compassion de l'amour humain. Car la Compassion c'est l'Amour en tant que troisième terme qui synthétise et sublime le couple haine-amour, de même que la Vérité est au-delà du couple vérité-fausseté. Cet amour est absolument impersonnel et ce fait est assez difficile à saisir. Le Lama Trungpa lui donne le nom d' « ardeur altruiste ». C'est une chose fascinante, une loi vivante, « la Loi des Lois, dit *La Voix du Silence*, l'harmonie éternelle, l'essence universelle, la lumière de la justice et du bien, la Loi de l'éternel Amour. » Elle ne contient aucune idée de séparation, aucun attachement, aucune notion de sacrifice, de devoir ou de récompense. Rappelons la parole sublime de Jésus : « Je vous donne un commandement nouveau : aimez-vous les uns les autres. Comme je vous ai aimés, vous aussi, aimez-vous les uns les autres. A ceci, tous vous reconnaîtront pour mes disciples, à cet amour que vous aurez les uns pour les autres. » Cela serait-il si difficile si nous vivions comme si la vie était une ?

Le Bodhisattva est l'incarnation humaine de la compassion, c'est une création de l'école Mahayana pour compenser les insuffisances relatives de l'Arhat de l'École Theravada. « Nous ne pouvons faire notre salut, écrit Suzuki, que si nous le faisons tous ensemble, en tant qu'unité, pas seulement une unité individuelle mais la totalité des unités individuelles formant un tout — alors survient la vraie compassion. » D'où le vœu du Bodhisattva qui n'entrera au Nirvana « que lorsque le dernier brin d'herbe sera entré dans l'illumination. »

Mais si nous devons venir en aide à toutes les formes de la vie sans exception, notre compassion doit se pencher sur tout objet qui se présente à nous. Dans *Études sur le Sutra Lankavatara*, Suzuki dit que pénétrer dans la vérité intime et profonde des choses c'est vraiment se qualifier pour faire œuvre sociale. A cet égard, je remarque ce qu'accomplit l'idéal Bodhisattva en Angleterre où la Société Bouddhiste essaie de faire connaître le Bouddhisme et multiplie les efforts d'entraide.

La Sagesse et la Compassion, cette double force issue du Non-né, devrait, en accédant au cœur et à l'esprit, briser toutes les adhésions au moi. Ses applications sont illimitées. On demanda un jour à Joshu, l'un des Maîtres Zen les plus célèbres : « Le Bouddha qui est l'illuminé et notre Maître à tous, est-il entièrement libéré des passions ? » — « Non, répondit Joshu, sa plus grande passion est de faire le salut de tous les hommes ! » Et quand on lui demanda où il irait après sa mort, « En enfer », dit-il, « parce que là seulement, ajouta-t-il, il pourrait rendre service à l'humanité ! »

L'Amour-Compassion qui a les yeux de la Sagesse, est donc la force la plus grande que nous connaissions. Si on en faisait usage toute la journée et sans défaillance, elle transformerait l'individu et, par la suite, l'humanité tout entière. Que ceux qui mettent en doute l'amour qui anime les pratiquants du Zen se rappellent les dernières paroles du Dr Suzuki, le plus grand bodhisattva des temps modernes. Le Père Thomas Merton, qui était allé le voir à New York et avait eu une longue conversation avec lui, rapporte qu'au moment où il prenait congé, le Dr Suzuki lui dit : « Le plus important de tout, c'est l'Amour. »

18

LE PASSAGE

Ayant abordé les limites de la pensée nous voyons la signifi-cation de l'illumination. A présent nous cherchons un pont qu'il faudra franchir pour atteindre l'au-delà de la pensée. Nous avons besoin de développer l'intuition. Notre préparation progressive aboutira à des « moments soudains » de non-pensée et d'éclaire-ment. Nous passerons par l'expérience de la conversion et nous nous consacrerons désormais à la vie spirituelle. Tandis que se haussera sans cesse notre conscience vers un « Soi plus élevé », nous verrons les vérités du Zen d'un œil nouveau. Nous com-prendrons mieux alors le paradoxe, la signification de la non-dualité et nous éprouverons un sentiment de gaieté énorme et irrépressible.

Nous nous sommes donc débarrassés des idées périmées, avons appris jusqu'à un certain point à contrôler l'usage des idées nouvelles et avons introduit dans cette machine assainie une série de « pensées-forces » qui apportent à l'esprit une sphère d'illumination. Mais nous avons dû distinguer Vijnana, la conscience du monde phénoménal, « la connaissance non différenciée », comme Suzuki l'appelle, de Prajna, la pensée transcendantale. La première divise la réalité en deux, sujets et objets, ce qui implique une contradiction. En un mot, « l'intel-lect ne peut répondre aux questions qu'il pose. » Nous sommes arrivés à un point où nous avons besoin d'une nouvelle faculté, non seulement pour voir la vérité sous une forme différente, mais pour voir la vérité sur son propre plan.

Cette faculté c'est l'intuition, Buddhi, que C. G. Jung place à l'un des angles de son diagramme à quatre côtés, vis-à-vis des sens et à l'opposé du couple intelligence-affectivité. « Quand je regarde un tableau, dit Suzuki, mes sens le perçoivent sans avoir recours à un concept. La perception acquise directement, sans moyen intermédiaire, s'appelle intuition. » C'est la fusion du couple des contraires de Jung. En grimpant au sommet du troisième terme de chaque couple, en se plaçant au point où le pendule se balance, nous apercevons la terre promise. C'est-à-dire l'au-delà de la dualité. Nous regardons l'autre rive, que nous croyons être au-delà de celle-ci, mais nous ne tardons pas à nous apercevoir qu'elle est les deux, qu'elle n'est ni l'une ni l'autre, de même que la rivière qui les sépare.

En attendant il nous faut un pont pour passer du relatif à l'absolu, de la dualité à la non-dualité, de la pensée à la non-pensée. Mais ce pont peut-il exister ? On ne peut atteindre le satori par la pensée rationnelle ; un abîme les sépare et pour le franchir il faut faire un bond existentiel. Le satori, lorsqu'on atteint ce plan, est mêlé à l'intellectuel et peut contribuer à la réalisation des formes de vérité que la pensée livrée à elle-même ne peut obtenir. L'intelligence seule ne peut que tourner autour. Elle ne peut jamais arriver à la connaissance.

Pour faire ce bond, l'effort est énorme. Nous sommes mis en demeure d'abandonner les béquilles de notre savoir, les routes occidentales de la réalité, de renoncer à la raison, à la logique et même à ce que nous considérons comme le bon sens ; on nous demande de vivre joyeusement et déraisonnablement dans le paradoxe et l'absurdité. Mais nous poursuivons notre ascension et notre marche s'accélère lorsque nous laissons derrière nous le pesant fardeau des croyances. Nous pouvons alors lutter pour voir le « Troisième Terme » de tous les couples de contraires, preuve qu'il y a un Bien absolu qui englobe sans rougir le mal et le bien, une Beauté qui contient en même temps la laideur et la beauté. Nous devons apprendre à nous comporter *comme si* l'Absolu était vrai. Si je suis l'incarnation de l'esprit du Bouddha, comment ne vivrais-je pas comme si ce fait était vrai ? Et nous devons nous accommoder du paradoxe. Le Christ n'a-t-il pas dit : « Renonce à cette vie si tu veux vivre la vraie vie. » Cette formule est à la base du bouddhisme. Blyth a fait la remarque suivante : « La signification d'un paradoxe échappe aux mots. Donc, au lieu de chercher plus amples explications et de patauger loin de la réalité, rejetons la vérité, tournons le dos à la logique et voyez ! vous étreignez l'intangible, l'indicible est dit. » Comment sortir l'oie du bocal sans blesser l'oie ou casser le bocal ? Réponse : elle vient de sortir !

Quelle que soit la durée de l'approche, le « moment » doit être soudain et les longues disputes entre les Écoles de bouddhisme Zen sur le caractère soudain ou progressif de l'éveil me paraissent sans intérêt.

Nous nous approchons du moment de la conversion par des centaines de « moments » qui mènent à « une rotation du plus profond de la conscience ». Alors commence une vie construite sur de nouvelles valeurs, de nouveaux motifs, de nouveaux buts, une journée de vingt-quatre heures pour consacrer nos forces et nos faiblesses au but que nous avons en vue, qui est de libérer tout ce qui est prisonnier des chaînes de l'illusion, au moyen de la lumière révélée en chacun de nous. L'enfant prodigue revient chez lui, la partie réintègre le tout.

Pendant tout ce temps nous élevons notre niveau de conscience habituel. A tel point que nous apprenons à vivre dans le Soi supérieur. Le Soi inférieur faiblit et sa voix baisse. Comme l'élément désir perd de sa force dans la psyché, cette force est disponible pour alimenter les penchants plus nobles de l'homme et, dirigée par la volonté, elle le conduit à bien agir. Mais il n'y a pas ici de nouvelle dichotomie, aucun dédoublement du soi. Sri Krishna Prem, dans *The Yoga of the Bhagavad Gita*, a, comme moi, recours à l'image de l'alpiniste. « De même que l'alpiniste cherche à s'agripper au rocher qui est au-dessus de lui pour effectuer une traction vers le haut, de même celui qui gravit le Chemin aspire à avoir une vision plus haute et par une sorte de traction morale à gagner le sommet et à s'y tenir fermement. A noter qu'il monte jusqu'en haut, avec des bottes couvertes de boue. « Le Soi supérieur est l'esprit de Bouddha. » N'y entrerons-nous pas et n'agirons-nous pas en conséquence ?

Pour le reste, nous ne pouvons qu'attendre. Nous ne pouvons absolument rien faire pour provoquer l'éclair de l'intuition, ni pour effectuer une percée dans la conscience transcendantale ou Satori. « La discipline Zen a pour objet de nous préparer au Satori ». Cette préparation est incessante et tout en « continuant d'avancer », nous attendons.

Pendant cette attente, grimpons jusqu'au Soi supérieur et empruntons-lui ses yeux. A présent, voyons-nous bien que « toutes les distinctions procèdent d'une imagination fausse », comme le dit Hui-Neng. « La table est carrée dit Blyth, et elle est ronde en même temps. Tout est relatif et en même temps tout est absolu. » Et dans *Mumonkan* il ne craint pas d'aborder les difficultés. « Toute affirmation d'identité implique séparation, toute dénégation de différence est séparation. » Et nous ignorons même la signification de la différence. « On ne connaît la différence que lorsqu'on se rend compte qu'il n'y a pas de différence. » Et en évoluant toujours dans les subtilités, il raconte l'histoire d'un empereur qui en présence d'un maître Zen croit comprendre qu'il est en réalité Bouddha. Mais le Maître explique que l'empereur et Bouddha « ne sont pas *deux* êtres identiques, mais deux êtres formant une seule identité. »

Plus nous montons haut et plus nous allons de compagnie avec l'irrationnel, et plus nous rions de tout et de tout le monde et surtout de nous-même. Car on rit quand on cesse d'avoir peur. Quand le moi s'est effacé, de quoi pourrait-on avoir peur ? L'esprit est léger et la terre pesante. Quand l'esprit nous habite, le sérieux et la gravité ne s'appesantissent plus sur nous. Certaines personnes, qui viennent visiter la Société Bouddhiste, sont scandalisées de voir que nous rions beaucoup (la tradition puritaine anglaise a la vie dure). « Le Zen, dit Blyth, a en lui une sorte de gaieté, une sorte d'énergie qui éclate dans les plus petites choses. » Mais y a-t-il de petites et de grandes choses ? Le moi se tord de douleur dans les chaînes de l'esclavage. L'esprit est libre... de rire.

Toute possession est une forme de peur. Nous avons peur de perdre ce que nous avons. Lorsque nous cessons de posséder, nous pouvons donc cesser d'avoir peur. En réalité, il n'y a « rien de particulier », comme disent nos disciples, dans ce que nous avons, ce que nous faisons et ce que nous sommes. Évoluons donc dans la vie « sans laisser de traces », sans semer de causes qui, pour produire dûment leur effet, auraient besoin de nous. A présent, nous pouvons nous permettre d'être ignorant car le savoir est un fardeau dont nous n'avons plus besoin. Soyons humbles en nous souvenant du précepte du *Tao Te Ching* : « Sois humble et tu resteras toi-même. » *Rester* est le mot essentiel. Quand le moi ne relève pas la tête, rien ne vient rompre la surface unie de la réalité. Parce qu'il se sait peu important, le moi qui fait le fanfaron cherche à étendre son empire et à se faire obéir ; on le prend pour ce qu'il est, une illusion gênante et désuète.

Comme il est agréable de voir s'effondrer le moi ! L'esprit peut alors avoir des visions de l'infini, apprendre « qu'il n'y a d'infini que les choses finies et qu'accomplir les choses finies c'est être sur le chemin de l'infini. » Ne voyons-nous pas à présent que « le tout est le tout, mais que la partie est infinie, que les adjectifs *grand* et *petit* sont complémentaires et n'ont pas de véritable signification, que le temps et l'espace, que l'absolu et la besogne que nous sommes en train de faire, forment la totalité heureuse des choses ici et présentement.

Quand survient la vision, les restrictions mentales diminuent, l'esprit attentif est illuminé par l'esprit de Bouddha et nous avons un avant-goût de la sérénité, « cette constante fermeté d'âme devant tout événement, qu'il soit favorable ou défavorable », comme il est dit dans la *Bhagavad Gita*. Et nous éprouvons de la certitude, à mesure que nous en savons davantage, « sur la joie qui vient le matin », sous l'effet du changement, sur la souffrance et sur la poursuite du Nirvana qui est déjà atteint.

Et tandis que nous traversons le pont qui n'existe pas, notre sagesse s'éveille et fonctionne sous mille formes secourables, telle une profonde compassion pour tous les êtres, toutes les circonstances et toutes les choses, ainsi que pour nous-même.

19

QUATRIÈME STADE :
AU-DELÀ DE LA PENSÉE

Répétons l'en-tête du cours :

Quand l'intuition-Prajna, telle une épée, transperce le plafond de Samsara, le monde dualiste de l'irréalité, elle permet d'apercevoir un état de conscience plus large et nous touchons alors au commencement de la véritable initiation Zen. Chacune de ces expériences est incommunicable par la parole, mais elles ont toutes un caractère commun qui est la disparition du moi. Ce sont des « moments de prise de conscience », mais non d'une conscience de quelque chose qui n'était pas là auparavant. Ici, le sujet, l'objet, le passé, le présent et le futur, vous et moi, n'existons pas dans la séparation. A présent, nous voyons toutes les choses telles qu'elles sont et elles sont toutes des parties inséparables de la Plénitude-Vacuité. Tel est le vrai commencement de l'initiation Zen que Suzuki appelle « une initiation morale fondée sur l'expérience du Satori » (ou conscience transcendentale).

Nous avons cherché un pont et nous nous sommes aperçu qu'il ne pouvait y avoir de pont entre la dualité et la non-dualité, entre l'esprit et le non-esprit, entre la relativité de notre monde et l'absolu. Et en allant plus loin, nous avons constaté que nous n'avions pas besoin de pont car les deux univers ne font qu'un.

Nous avons commencé à *voir* grâce à l'intuition qui remplace la raison, la logique et le sens commun. Nous avons accepté l'irrationnel, le non-sens de la vie telle qu'elle est et nous avons ri joyeusement. Nous avons hardiment contrôlé le processus de la pensée et utilisé les pensées-forces pour accéder à un plan plus élevé, celui de la pensée illuminée. Nous nous approchons de l'ouverture d'esprit qui est le prélude à l'illumination.

Et maintenant ? Nous avons compris qu'il était impossible de susciter l'expérience du Satori. Nous ne pouvons que regarder et attendre. Pendant cette attente il nous faut réfléchir à ce que nous voulons et savoir pourquoi nous le voulons. Car le motif a la plus grande importance. Pas seulement parce qu'un mauvais motif nous fera faire un mauvais usage de l'énorme force de l'illumination, quand elle se produira, mais parce que tout motif quelconque implique que le moi lutte pour lui-même. Et cela compromet fatalement le succès.

Pourquoi ? La réponse tient à deux autres concepts qui cachent la vérité à ceux qui, brusquement, veulent la voir. Jusqu'ici, moi qui suis un être ayant la volonté d'arriver à l'illumination, je l'ai cherchée obstinément dans un cours qui est le condensé d'un processus qui dure plusieurs vies.

Aucun être de ce genre n'atteint l'illumination, d'abord parce qu'un tel être n'existe pas et secondement parce que même s'il existait, il ne pourrait rien atteindre.

Nous avons vu que la première proposition est au cœur même du Sutra du Diamant comme du Sutra du Cœur que nous récitons ensemble en classe. « Au commencement des commencements il n'existe rien », comme nous l'avons noté au chapitre sur la Sagesse de l'Au-Delà. Dans tout ce qui est, Non-né et né, il n'y a pas d'êtres différents, tous résultent également d'une « imagination erronée ».

La seconde proposition qui admet l'existence d'un être changeant, en tant qu'apparence du monde de la dualité, déclare qu'un tel être n'arrivera jamais à l'illumination car il n'y a pas d'illumination à atteindre. De tels êtres sont déjà illuminés. Nous citerons une fois de plus *La Voix du Silence* : « Regarde en toi-même, tu es Bouddha. » Et Huang Po : « Tous les Bouddhas et tous les êtres doués de sensibilité ne forment qu'Un seul Esprit, en dehors duquel rien n'existe. » Ces deux propositions sont également vraies. Comme on l'a dit avec noblesse, le Bouddha dans sa sagesse a vu qu'il n'y avait pas d'êtres et avec sa compassion il s'est appliqué à les sauver.

Alors, que faisons-nous ici, en classe de Zen, nous qui n'existons pas et qui nous efforçons d'atteindre ce que nous possédons déjà ? A cette question on ne peut répondre que par un paradoxe. En langage plus simple, disons qu'il faut ôter le bandeau dont nous avons couvert nos yeux et nous présenter « nus à l'expérience » afin de voir notre propre divinité de plus en plus clairement.

Troisième et dernière pensée, ce n'est pas moi qui cherche l'illumination. Comme Merton l'écrit dans son ouvrage, *Mystics and Zen Masters* : « Ce n'est pas notre conscience qui perçoit le Zen, mais c'est l'Etre qui a conscience de lui-même en nous ». Telle est la suprême découverte du mystique.

Cette phrase à elle seule contient toutes les Saintes Écritures du monde. Pourquoi Dieu créa-t-il l'univers ? Pour se savoir Dieu. Chaque étincelle qui permet à l'unique Lumière de se fondre en cette petite flamme, contribue à intensifier la Lumière.

Ayant aperçu vaguement cette vérité surnaturelle, on comprend mieux que chaque moment d'illumination est une petite mort, une blessure corporelle du moi, un affaiblissement du moi qui est né de cette illusion qu'il existe un individu séparé, différent et permanent. Nous pouvons maintenant fondre les deux termes fondamentaux de notre recherche qui sont le Zen et l'Illumination, car celle-ci est une soudaine prise de conscience du Zen, le Zen n'étant rien moins que la manifestation de la Lumière du Non-né.

Qu'est-ce donc que le Satori ? « La vie du Zen, dit Suzuki, commence par le Satori » et « le but de la discipline Zen est de nous préparer à cet état de relative conscience. » Ce cours est consacré à cette préparation. Pour chacun de nous c'est l'apparition d'un monde nouveau que, dans la confusion d'un esprit dualistique, nous n'avions pas aperçu. Remarquons que c'est le commencement de l'initiation du Zen mais non la fin. Nous sommes sortis de la chrysalide du moi pour entrer dans le champ de l'universalité. Comme le dit Suzuki, « l'illumination n'est pas une simple affaire personnelle, elle concerne toute la communauté ; elle a des fondements dans l'univers. » Et il ajoute pour tous ceux qui brûlent d'impatience : « elle exige une longue préparation, qui dure non pas une vie, mais plusieurs vies. »

A quoi ressemble-t-elle ? Remarquez la question, car si l'on demandait : qu'est-ce que c'est ? il serait impossible de répondre. La description impliquerait l'emploi de concepts, qui sont les produits de la pensée dans le domaine de la dualité. Le Satori est au-delà des concepts, au-delà de la dualité : « Si le Satori est soumis à l'analyse et devient ainsi parfaitement clair à quelqu'un qui n'a jamais fait cette expérience, ce satori-là ne sera pas le Satori. « Un Satori transformé en concept perd son caractère et il n'y a plus d'expérience Zen », dit Suzuki.

Néanmoins, un grand nombre de tentatives ont été faites qui remplissent les dossiers de l'école de Zen. Dans des anthologies telles que *Mumonkan* (La porte sans porte) et le *Hekiganroku*, il y a quantité d'histoires sur le « moment » d'illumination qui survient à l'occasion d'une remarque ou d'un geste de la part du Maître. Dans ses écrits, Suzuki a donné des traductions de certains passages de *The Transmission of the Lamp* et a consacré des chapitres au thème du Satori dans son *Introduction to Zen Buddhism* et dans la première série de ses *Essais sur le Bouddhisme Zen*. Mais quoi que l'on écrive ou dise, il ne peut y avoir aucune transmission de l'expérience réelle. A un élève qui l'implorait, un maître répondit : « Je n'ai vraiment rien à vous communiquer. Ce que je pourrais vous dire m'appartient en propre et non à vous. » La description du premier Satori de Suzuki dans *The Field of Zen* est elle-même décevante par sa brièveté et son laconisme.

Les Occidentaux, eux aussi, ont essayé de décrire leur premier éveil. Douglas Harding, dans *On Having no Head*, rappelle des descriptions anciennes. « Ce fut enfin une révélation parfaitement évidente... Tout fut simple et direct, cela se passe au-delà du raisonnement, des idées et des paroles. Rien d'autre qu'une impression de paix et de joie tranquille et la sensation d'être débarrassé d'un intolérable fardeau. » D'autres membres de la Société Bouddhiste ont relaté leur propre expérience et l'un d'eux a déclaré que, dans un monde où l'on a une vision plus haute et plus pénétrante, il a remarqué que « les roues d'une charrette tournent ».

De même qu'après avoir subi un long traitement médical on s'aperçoit qu'on ne souffre plus, à l'approche de l'illumination on se rend compte brusquement que l'on est allégé d'un fardeau et que l'on est intégré dans un Plan universel qui est trop vaste pour qu'on puisse le concevoir. On éprouve un profond changement d'attitude devant la vie et les gens et devant la folie des événements. Nous n'avons pas conscience de dormir, mais quand nous nous réveillons nous nous rendons compte que nous avons dormi profondément. Nous voyons le vieux monde d'un regard nouveau.

Le Satori comporte, bien entendu, divers degrés dont l'intensité tient à la volonté. « Le Zen fait appel à la volonté parce que la volonté c'est l'homme », dit Suzuki. Chaque expérience est reconnaissable et ne laisse aucune place au doute, qu'il s'agisse des grandes expériences ou « des petites qui font danser ». Les débutants doivent prendre garde aux contrefaçons.

Les visions psychiques et les pressentiments, les transes et l'extase ne sont pas le Satori. Hui-Neng, le sixième patriarche, consacra une grande partie de son enseignement à la différence qui existe entre Dhyana-la méditation profonde, et l'éveil de l'intuition-Prajna. Les tests qu'on s'applique à soi-même sont simples. Comme le dit Hui-Neng, « celui qui après une vague impression, dit fièrement : j'ai été illuminé, se fait des illusions. » Il serait souhaitable que tous les étudiants occidentaux aient ces mots devant les yeux pendant qu'ils méditent ! Tant que subsiste le sentiment du moi, il n'y a pas de vrai Satori.

L'expérience s'efface légèrement. C'est pourquoi il faut l'exprimer d'une manière ou d'une autre pour la confirmer et lui donner une force probante. D'où la pratique des interviews dans le Zen Rinzai, où le maître pousse le néophyte à multiplier les efforts et l'aide à donner à son expérience plus de maturité. Aucun effort ne fera naître l'expérience suivante, mais s'il existe une forte volonté de faire bénéficier tous les hommes de cette expérience, une communication s'établit entre la source infinie de la Sagesse et de l'Amour et l'humanité tout entière.

Je prétends qu'il est possible d'employer l'intelligence pour réaliser une nouvelle expérience. C'est comme une course rapide qui se termine par un grand saut ou, comme me l'écrivait Alan Watts au sujet de son initiation avec Sasaki Roshi : « le Zen ne refuse pas l'apport de l'intelligence qui doit au contraire être très développée afin qu'un raisonnement ultra-rapide et immédiat remplace le mécanisme habituel du cerveau. » Il peut en résulter une véritable prise de conscience, mais non une simple agilité d'esprit. Il faut bien noter la distinction. Tant qu'il y a deux choses, le Zen n'existe pas, même si ces deux choses sont l'accessible et l'inaccessible. Dans un manuscrit non encore édité, Suzuki dit : « La discipline Zen est différente du raisonnement. Elle ne se tient pas à l'écart de l'inaccessible, mais elle plonge dedans et le reconnaît en tant qu'*inaccessible*. »

Les résultats viennent lorsqu'on ne s'y attend pas. Pas nécessairement chez l'homme dans son aspect extérieur, qui est toujours asservi par son karma et son caractère actuel. L'expérience « est simplement un état de conscience intérieur sans rapport avec les conséquences objectives. » On a décrit un grand nombre de ces résultats. La sérénité, qui est la paix au centre immobile du monde en mouvement. Le sentiment

d'une puissance divine agissant sur l'individu à des fins sur-
naturelles. La patience, qui consiste à contempler le Plan
qui se déroule sans qu'intervienne approbation ou désapprobation.

La notion du moi est considérablement réduite (il arrive
même qu'un maître s'irrite de sa mémoire défaillante). Désormais « rien de spécial », comme disent les adeptes du Zen, ne
survient dans les choses et les événements, aucun orgueil du
succès obtenu, pas le moindre désir de prendre prétexte de
l'expérience pour se poser en sauveur de l'humanité. Mais,
étant délivré de la peur — car qui aurait peur à présent et
de quoi ? — on rit continuellement avec insouciance, on rit
de tout le monde et de tout, y compris de soi-même. Au rire
vient s'associer la compassion, une prise de conscience de la
souffrance, que l'on regarde maintenant sans émotion parce
qu'on en connaît la cause et que l'on sait ce qui devra être
fait pour en alléger une partie dans la mesure où le Karma le
permettra.

Et on continue d'aller de l'avant. Le Dr Suzuki explique
pourquoi les Samouraïs ont adopté le bouddhisme Zen : « Le
Zen exige des actes et l'acte le plus parfait consiste, la décision étant prise, à la rendre effective sans regarder derrière
soi. » Le mouvement est immédiat et rien ne doit intervenir
entre la décision et son exécution. « Le changement est inhé-
rent à toutes les composantes », dit le premier des signes bouddhistes de l'être. Les sages laissent aller les choses. Le Maître
Riokwan termine ainsi un poème : « Avec un profond contentement je me laisse porter par mon Karma. » La vie Zen est
donc la quintessence de l'action juste, le Karma yoga de
la *Baghavad Gita*, associé à la non-réaction passive du
Taoïsme.

« La vie ordinaire est très Tao ou très Zen », dicton célèbre
dans les annales du Zen. Mais la plupart d'entre nous n'ont
pas une vie « ordinaire ». « Je porte de l'eau et vais chercher
du fuel, quoi de plus merveilleux ? » Oui, mais avec une mentalité très différente de celle du commun des hommes qui se
bercent toujours d'espoirs et de désirs. A partir du moment
où il est touché par l'illumination, l'esprit, nouvellement éveillé,
continue à employer des distinctions et des discriminations,
mais il ne remarque plus les différences. Il apprend à transcender la banalité de la vie, à « voir l'infini à travers les choses
finies ». Dès lors nous ne faisons plus ce que nous aimons, nous
aimons ce que nous faisons », a dit Blyth. Dharma (l'ordre

cosmique) dirige l'action qui devient directe et facile. « Quand je suis fatigué, je dors, quand j'ai faim, je mange. » Désormais, plus d'agitation, plus d'anxiété. Nous commençons à voir que le Nirvana est bien en réalité Samsara (le devenir), le ciel est présent ici-bas.

> L'Un est dans tout, Tout est dans l'Un —
> Si seulement cela se réalisait
> Nous serions délivrés du souci de nos imperfections.

N'ayons plus d'inquiétude, ni pour nous-même ni pour les autres. « Tout est très bien. » Quatre mots qui disent bien ce qu'ils veulent dire. Digérée sur un plan élevé, cette grande parole marque un changement profond de notre comportement consécutif à notre nouvelle vision. Les vies de l'Arhat et du Bodhisattva se confondent en une immense action pour le bien de toute l'humanité. Nous avons atteint le Satori, la conscience transcendentale. Et qu'avons-nous appris ? Qu'il n'y a pas de Satori. Continuons à marcher !

Questions.

Posez-vous à vous-même la question que vous voudrez, mais veillez à ce que votre réponse soit tirée de votre expérience Zen.

EXPÉRIENCES ZEN

Dans la vie spirituelle une théorie n'a de valeur que si elle est mise en application et la classe de Zen est bien autre chose qu'un groupe de discussion. De temps à autre nous exposons nos découvertes, nos changements de croyances, nous échangeons nos points de vue. Depuis une quinzaine d'années, nous proposons aux étudiants une série de questions qu'ils emportent chez eux et auxquelles ils me répondent par écrit. Ces réponses sont toujours considérées comme confidentielles ; toutefois j'en fais un résumé que je leur communique. A la demande générale, les résultats en furent publiés dans *The Middle Way* en 1967, sous le titre « Expériences Zen ». Ils sont reproduits ici et répondent à une question souvent posée, sous forme de franche information ou de douce ironie : « A quoi tout cela sert-il ? Quels sont les résultats ? »

Naturellement ces articles ne décrivent pas des résultats, car on ne peut décrire une véritable expérience en termes de valeur pour le débutant, mais ils indiquent que cette préparation crée une sorte de ferment qui est l'éveil de la perception intuitive et une élévation générale de la conscience qui prépare à l'expérience réelle. Cette brève description sera peut-être utile à certains lecteurs.

20

EXPÉRIENCES ZEN

L'article que j'ai publié dans le numéro de février de « Zen for the West » a suscité de nombreux commentaires dont plusieurs sont des réponses à la dernière des trois questions que j'avais posées aux membres de la classe de Zen. Ces questions, auxquelles on devait répondre assez longuement et par écrit, étaient destinées à faire réfléchir les étudiants sur leur attitude devant le Zen ainsi qu'à leur apprendre beaucoup sur eux-mêmes. Deuxièmement, c'était pour moi un moyen de les placer soit dans le cours des débutants, soit dans un cours plus avancé. Inutile de dire que je ne me contente pas d'un devoir écrit pour établir un jugement. Ces textes n'étaient lus que par moi, mais certains d'entre eux m'ont paru si intéressants que, sans violer de secrets, j'ai accepté d'en publier des passages et des conclusions. Ils constituent la matière première du Zen occidental, l'expression originale de processus intérieurs et d'une expérience directe qui contribueront à assurer l'avenir du mouvement Zen en Europe.

Les trois questions étaient les suivantes :

1. — *Pourquoi avez-vous choisi le bouddhisme Zen comme sujet d'étude ?*

2. — *Que cherchez-vous dans le Zen et cette quête vous passionne-t-elle ? Ajoutez, si vous le désirez, les résultats acquis jusqu'ici.*

3. — *Veuillez me faire part de votre opinion sur l'implantation de la technique du Zen japonais en Europe. Si vous estimez que certaines modifications sont souhaitables, quelle serait, d'après vous, la meilleure manière d'aborder et d'enseigner le Zen à Londres, en l'absence d'un maître qualifié.*

Les résultats furent extrêmement différents, extrêmement

sérieux et souvent contradictoires — et montraient une fois de plus les deux grandes tendances de l'esprit humain. Ils présentaient des différences de sexe, d'âge et d'éducation et indiquaient que la profondeur des opinions n'est pas proportionnelle au temps consacré à l'étude du Zen. Les questions étant liées entre elles, les réponses s'entremêlent et se chevauchent souvent, mais la plupart de ces vingt séries de réponses prouvent qu'un levain de spiritualité germe dans les esprits et aboutit, selon chacun, à l'illumination, à la frustration, au désespoir, à une joie profonde ou simplement au sentiment de l'identité de toutes choses. Mais le grain lève et il en sortira, pour le meilleur ou pour le pire, l'école du Zen britannique. Je dis britannique car les autres pays européens aborderont le Zen d'une autre manière, de même que nous lui donnons une forme différente de celle du Zen japonais.

Pourquoi le bouddhisme Zen ?

Nombre d'étudiants ont fait un long périple avant d'arriver au bouddhisme. Mysticisme chrétien, Existentialisme, Yoga, Pensée nouvelle, Psychologie, Religion comparée et même Catholicisme. Aucune de ces expériences ne leur a donné satisfaction et cela pour les raisons les plus diverses. Beaucoup apprécient dans le bouddhisme l'absence de dogme, de rites et le fait qu'il n'y a pas de Sauveur à invoquer. Mais pourquoi le bouddhisme Zen ? Parce que le Theravada est trop limité. « Alors que le Theravada est une étude précise et scientifique du bouddhisme, le Zen a une fraîcheur révolutionnaire. Toute notre formation, avec ses conventions, ses convictions, ses règles, ses croyances et sa pensée dualiste ne sont là que pour stimuler le moi. Il faut abandonner tout cela. » « Le Zen est l'étape qui fait suite au Theravada. Après avoir tout analysé et compris qu'il ne restait rien, il est essentiel de transmuer ce morne néant en quelque chose de vivant ; faute de quoi l'aridité intellectuelle du Theravada provoquerait un déséquilibre. » Autre citation : « Tout enseignement parlé et écrit finit par se détériorer. L'observance de tels préceptes ne peut conduire au Satori. Le Zen va au-delà de l'enseignement théorique du bouddhisme, et il en pénètre l'essence même. La vie de Bouddha ne fait qu'un avec son enseignement et le Zen s'intègre à cette vie. »

Nombreux sont ceux qui insistent sur le fait que le Zen forme un tout, alors que tout le reste a un caractère partiel. En tout cas c'est le chemin qui mène à l'unité. « Le Zen incor-

pore la vie dans son ensemble. Il ne reste pas à l'écart en se
contentant de la regarder. Il ne prêche pas de morale. Il ne
distribue ni ordres, ni récompenses, ni punitions. Il envahit
quotidiennement notre vie et la transforme et confère une
signification à chaque instant de l'existence. Il n'a besoin d'aucun
intermédiaire et opère en nous un merveilleux nettoyage,
semblable à celui que produit un violent orage dans la nature.
Exempt de formalisme, par sa méthode simple et directe il
oblige l'esprit à travailler continuellement et à rejeter toutes
règles et méthodes. « N'accepte pas. Ne crois pas. Ne te sou-
mets pas, dit le Zen. Sépare-toi de tout ce que tu as connu,
mets-le en miettes puis recommence depuis le commencement. »
Le même auteur dit aussi : « Mon expérience et mes études
antérieures m'ont appris que pour aller à la rencontre de ce
monde nouveau, en perpétuel changement, il faut l'aborder
avec une vulnérabilité fraîche et *non conditionnée*. » Cet écrivain développe ce thème et il ouvre des perspectives de comparaison avec la psychologie occidentale moderne.

Mais nombreux sont ceux qui disent qu'ils n'ont pas choisi le
Zen et que le Zen les a choisis. « Je n'ai pas choisi le Zen. Quand
on a soif et que l'on a de l'eau devant soi, on la boit. Sans qu'il
soit nécessaire de réfléchir, on sent au fond de soi un acquies-
cement impérieux qui n'a besoin de se justifier ni devant l'intelligence, ni devant qui que ce soit ». Autre commentaire : « Pourquoi partirais-je en quête de ce que je possède déjà ? Honnêtement, je peux dire que le Zen me poursuit toute la journée et
même lorsque je néglige d'y être attentif mes pensées vont
vers la « classe », vers ceux qui font la même recherche que
moi, vers un livre sur le Zen, etc. » Et le même étudiant parle
plus loin de « l'énergie sans cesse développée pour atteindre
le concept final. » Enfin, un autre écrit : « Je ne l'ai pas choisi.
Je l'ai découvert et j'ai été « pris » immédiatement et sans
comprendre un mot j'ai senti que toutes mes idées étaient
mises sens dessus dessous. Ce n'était guère compréhensible,
mais *l'absurde* avait malgré tout un *caractère raisonnable*. »
Quel instant fascinant que celui où la raison se lasse de ses
facultés de raisonnement !

Finalement, une question sur l'importance du maître et les
occasions d'accessibilité à la doctrine. « Lorsque le Dr Suzuki
vint, écrit-on, je compris immédiatement avec le cœur et avec
le cerveau — les mots étaient superflus. Il importait peu que
je me souvienne de sa conférence par la suite. Il y avait eu
transmission du Dharma, à un degré infinitésimal et j'étais

reconnaissant de cette expérience. » D'autres disent qu'il y a transmission directe de la part du maître, mais qu'un maître moins prestigieux peut stimuler à découvrir le Zen par lui-même et en lui-même.

Qu'est-ce que le Zen ?

La plupart des auteurs font, à juste titre, remarquer qu'il est impossible de répondre à cette question. « Le tao que l'on peut exprimer n'est pas le Tao éternel. » Mais après avoir dit cela, ils émettent une série d'épigrammes et de paradoxes sur « le désarroi illuminé » qui dénotent une forte et sérieuse expérience. Beaucoup font allusion à l'humour. « Le rire est un élément essentiel de cette méthode de travail. Toutes les autres écoles de bouddhisme sont tristes ; le Zen, qui est fondé sur la même doctrine, trouve moyen de sourire. » Il est direct. « Par Zen j'entends une pénétration intuitive de la vie véritable par opposition à la simple existence. Si l'on pouvait vivre réellement chaque moment qui passe, la vie baignerait dans la lumière flamboyante du soleil levant. » Il faut utiliser le Zen. « On a parfois l'impression que le Zen est un accroissement de soi-même qui ne demande qu'à être utilisé. » — « C'est un moyen, un pinceau qui permet de peindre, une bêche pour remuer la terre. Il faut s'en servir mais ne pas aller les chercher. Ils peuvent être des obstacles si on ne les utilise pas. Il arrive que nous *imaginions* que nous le comprenons et nous en tirons, semble-t-il, supériorité. Alors mettons-le en pratique et le moi orgueilleux se fera plus humble... Je ne peux pas dire que je le cherche farouchement, mais j'essaie de l'utiliser... » Cela est pur Taoïsme, excellent Zen également, car l'usager et l'instrument ne font qu'un. Je pourrais écrire, dit un autre, que « le Zen c'est l'expérience d'un moment de non-pensée. » Mais au moment même où j'écris, le Zen a déjà disparu en même temps que l'expérience et le moment. Néanmoins, en flottant dans le sillage du Zen, *je vis la vie* alors qu'autrement *je me contente de penser ce qu'est la vie*, comme c'est le cas en Occident la plupart du temps. Le Zen, dit un autre, est une technique grâce à laquelle on saisit l'unité à laquelle on donne vie. Il fait d'heure en heure l'unité de l'ensemble de ce qui vit. Il conduit à l'absence de but, à une vie spontanée, sans appréhension, où l'on est libéré de l'angoissante question : « Que dois-je faire ? Qui suis-je ? » Il fait de nous un oiseau qui vole dans un espace sans dimensions. Il n'a rien à enseigner... » Beaucoup de nos étudiants parlent du vide, de la vacuité, l'un d'eux a trouvé une excellente formule : « Le Zen, c'est cela qui fait que tout le reste semble vide. » Parmi ces copies le mot qui revient le plus souvent est le mot plénitude : « C'est-à-dire que tout est harmonieusement équilibré, toute situation a un caractère achevé, par le « fait d'être telle ». La phrase finale est typique de son auteur : « La simplicité, l'honnêteté, le sérieux du Zen forcent une conviction qui ne souffre aucune discussion. »

Certains examinent leur cas particulier : « Le Zen modère ma propre importance et me donne le sentiment de posséder un espace intérieur », écrit l'un d'eux. « Dans l'exercice d'une tâche ordinaire qui normalement serait ennuyeuse et irritante, je sens à présent que c'est la seule chose que je puis faire et je prends conscience de ce que le moment a de bon et de juste. » Il y a des résultats étonnants. « Le Zen est d'un grand secours dans la vie pratique et donne plus de bon sens dans les relations avec les gens et dans la manière de traiter les questions humaines. Alors que Samsara et Nirvana ne font qu'un, ils sont pourtant absolument distincts et je comprends le sens de la formule : « Rendre à César... »

Voilà pour ce qui est du Zen ; passons maintenant à la politique pratique du

Zen pour les pays occidentaux.

Sur ce point la diversité des opinions fait qu'il est difficile de présenter un résumé. La tendance générale est pour l'emploi de la technique japonaise. Une lettre récente qui commente mon article sur « Le Zen pour l'Occident » exprime ce que beaucoup pensent. « Bien que le Zen ne soit pas un art en soi, il comprend l'art suprême qui est l'art de vivre. Celui qui veut s'initier dans un art, quel qu'il soit, doit en étudier les techniques et les disciplines, trouver une forme à son inspiration et s'il n'est pas un génie, il devra d'abord emprunter cette forme à d'autres jusqu'à ce qu'il découvre la sienne propre. Ainsi le musicien commence par écouter la musique des autres pays et des autres époques et par composer une musique inspirée des maîtres. L'écrivain lira énormément et ses premiers essais prendront pour modèles les œuvres qui ont résisté au temps ; ce n'est que lorsqu'il les aura étudiées qu'il pourra forger ses propres règles et maîtriser son sujet et son style. Il en est de même du Zen ; nous n'avons que le modèle oriental, il faut l'étudier et le pratiquer avec diligence jusqu'au moment où un créateur apparaîtra dans cet art qui nous semble si étrange, et il formulera une technique plus conforme à notre mode de vie. Mais on ne peut forcer les choses... Si le Zen est ici, comme je le crois, la forme d'art naîtra naturellement avec le temps. Soyez patients, mes maîtres. »

Au sujet du Koan, on discute beaucoup. Certains affirment que le Koan est vital pour le Zen Rinzai — d'autres que c'est folie de le pratiquer en l'absence d'un maître. On fait remarquer que la vie quotidienne est remplie de Koans que nous sommes bien obligés de résoudre. Tout le monde s'accorde à dire qu'on ne médite jamais assez car, finalement, quelles que soient les méthodes employées, chacun affronte l'épreuve tout seul. Mais d'aucuns estiment que c'est une tentative dangereuse. « Les conflits passionnés et les confusions désespérées sont inévitables. Ici, l'autorité du maître est cruciale, car il est à même de faire comprendre à l'étudiant qu'il est en butte à des inventions de l'esprit et que par conséquent il peut s'en libérer. Nombreux sont ceux qui insistent sur le fait qu' « étant élevés dans un climat mental si différent de celui de l'Orient et de son anarchisme, nous sommes très mal préparés à le comprendre, à l'exception de ceux qui sont familiarisés avec le Dharma proprement dit. » Cet auteur estime qu'on ne devrait accepter dans une classe de Zen que les étudiants qui appartiennent à la Société depuis un an au moins et qui ont suivi d'autres conférences, ou ceux qui ont déjà acquis de bonnes connaissances sur le bouddhisme. Il faut qu'ils sachent ce qu'est la discrimination, telle que l'entend le bouddhisme, avant qu'on puisse leur dire de rejeter ces discriminations. Dans les pays occidentaux, nous vivons au milieu des discriminations et l'étudiant doit avoir appris à faire un choix judicieux avant de s'entendre dire qu'il n'y a pas de problèmes, qu'il n'y a ni bien ni mal et que tout est affaire de spontanéité. Les tactiques de choc font merveille si le public a acquis auparavant une force orthodoxe... » Mais c'est un processus individuel pour lequel nous aurions besoin de davantage de silence, de retraites pendant les week-ends, de moins de livres et de plus de réflexion.

Nombreux sont ceux qui nous recommandent d'éviter les formules stéréotypées — en paroles ou en actions — et de nous renouveler perpétuellement. « Toute découverte ou toute phrase, en se répétant, se déflore, tandis que des mots nouveaux, une nouvelle phraséologie créent de nouvelle résonances et réservent des découvertes. Avant d'accéder au-delà de l'intelligence il faut exercer celle-ci ; avant d'arriver à la non-pensée il faut apprendre à penser. »

Pratiquer la véhémence du Zen Rinzai ou la passivité du Zen Soto, l'un et l'autre menant certainement au but, est affaire d'opinion. On va de l'un à l'autre selon son tempérament. Un étudiant écrit : « Nous ne voulons pas davantage de connaissances. Nous voulons nous « dévêtir » pour qu'il ne reste en nous que la nature de Bouddha. Et, pour moi, cela n'est possible que par le traitement de choc du Zen, c'est-à-dire par l'approche directe. » D'autres sont d'un avis complètement différent. « Nous sommes arrivés à nous rendre compte qu'il n'y a qu'à se laisser aller, à s'abandonner. Nous avons besoin de patience, non de violence », disent-ils. La réponse se trouve naturellement entre les deux et l'un de nos membres les plus sages aura sans doute le dernier mot : « Le mieux pour le Zen serait que les pays occidentaux élaborent leur propre technique. C'est précisément, semble-t-il, ce qu'ils sont en train de faire... »

Tels sont quelques-uns des éléments de la classe de Zen. Le chaudron est en ébulition. Il y aura déchets, scories et perte de vapeur, mais l'esprit est en mouvement et il marche avec son époque. Aucun raccourci, aucun artifice ne sont permis. La question n'est pas d'atteindre le but. Nous avons dépassé cette folie de nous assigner un but. Mais tout en attendant aide, avis, ou reproches, nous vivons intensément la vie Zen.

21

AUTRES EXPÉRIENCES ZEN

J'ai dit, au chapitre précédent, que le chaudron de la classe de Zen de la Société Bouddhiste était en ébulition. Nous avons réalisé une nouvelle expérience en faisant une étude de groupe des problèmes personnels. Sans préjudice d'expériences similaires dans le domaine de la psychologie. Le précédent article ne concernait que la moitié des réponses à la première série de questions ; les autres étant plus intéressantes encore, je les ai résumées et présentées. Ici encore, c'est la maturité de l'expérience individuelle qui domine, laissant loin derrière elle l'autorité des écritures sacrées, les phrases désuètes et tous les mots en isme, même le bouddhisme. J'ai mis la classe en garde contre cette loi occulte qui fait que tout effort pour prendre en main le « moi de l'ombre » et acquérir cette prise de conscience, antérieurement à la moyenne des amis, provoque une nouvelle moisson de *dukka* (de souffrances) dans le domaine mental, affectif et même physique. Et ces difficultés ont surgi, si nombreuses et avec une telle rapidité, que je me félicite d'avoir dûment averti ceux qui souffrent. Il est donc nécessaire, comme l'a écrit l'un des membres de la classe, « de se rendre compte de la maturité psychologique de la classe par rapport à l'enseignement donné et aux exercices prescrits ». Mais la peine sera ressentie, quel que soit le niveau, jusqu'à ce que le moi disparaisse. Un des étudiants écrit : « Le Zen ne se révélera qu'au moment où je mourrai à moi-même, ou je mourrai aux mots, aux pensées et même au désir de mourir. Alors seulement l'acteur et l'action — le problème et la solution — ne feront qu'un. Car la recherche du Zen est la recherche de la vie même. Le secret, c'est d'accepter la vie telle qu'elle se présente. » « Le devoir de l'être vivant est de vivre. Contempler la futilité de tout, la souffrance de tout et se tenir en marge de la vie me paraît être une espèce de fuite. Le Zen est ma voie, je la suivrai parce que je ne peux aller ailleurs. Cette voie, je l'aime. Je n'ai pas de but, je marche avec joie, simplement... le mouvement de la marche est un plaisir ». Un autre dit que la marche c'est tout l'homme ; les psychologues approuveraient certainement cette remarque. « Parce que l'homme veut être un tout il n'en est pas un » et nous ne pouvons pas laisser la partie de nous-même que nous méprisons au pied de la colline pendant que le « meilleur moi » grimpe au sommet. « Quand survient l'illumination, elle nous illumine tout entier. Le chemin et le but ne peuvent être distincts. On découvre le chemin en marchant, on trouve ses forces spirituelles en les utilisant et, sans humilité et pauvreté, on n'arrive nulle part. » « Le Zen, dit encore un autre étudiant, est dans la vie du moment, on ne le trouve pas ailleurs, il vient d'un centre qui se révèle ». Ou encore : « L'expérience du Zen appartient à cette vie. Le Zen est ici et non dans un état qu'il faut chercher en dehors de la vie. L'activité religieuse s'exerce sur le plan de la vie quotidienne », parole que couronne magnifiquement la phrase suivante : « Je considère le Zen comme la religion qui abolit toutes les autres religions. Le mot religion est synonyme de lien ou même de chaîne... mais le Zen, au moment suprême, disparaît lui-même. »

Au sujet du Zen dans les pays occidentaux, ces étudiants insistent sur la nécessité de comprendre le Zen tel qu'il est, avant de chercher à lui donner une parure nouvelle : « autrement nous risquons de confondre la parure avec le Zen, le doigt avec la lune. » Ainsi qu'une femme le fait pertinemment remarquer, « nous avons eu la littérature Zen à notre disposition pendant des années et nous en sommes encore à attendre qu'on nous apporte le Zen. » Veillons à ne pas ajouter une autre technique à notre collection, car le Zen se moque de tous les systèmes et de toutes les techniques. » Presque tout le monde est d'accord pour souhaiter qu'un Roshi qualifié vienne nous instruire et nous éclairer jusqu'au moment où l'un de nous pourra le remplacer. En attendant, nous aurons recours aux écritures sacrées et notre indomptable volonté finira par créer et par utiliser les moyens nécessaires.

Telle était la situation à Pâques. A partir de ce moment-là et jusqu'au mois de juin, la Société bénéficia de la présence successive de trois hommes bien connus dans le monde du Zen. Le Dr Hisamatsu, roshi laïque et spécialiste de l'art japonais. Bien que gêné par la nécessité de faire traduire ses propos, il nous permit de voir ce qu'est un roshi. Alan Watts, célèbre par ses écrits et ses conférences sur le bouddhisme Zen. Ce grand penseur du Zen occidental nous fit part de ses idées. Puis le Dr Suzuki, qui, ayant atteint sa propre illumination, consacra pendant soixante ans sa sagesse à l'Europe. Cependant, comme l'écrit un étudiant, « les maîtres ne peuvent que nous encourager, nous dire que notre Zen progresse et confirmer que nous touchons au but. Aucun d'eux n'a jamais prétendu faire plus que cela. » Suzuki, impressionné par les efforts de la classe, promit de persuader un ou plusieurs roshis japonais parlant anglais de faire prochainement un séjour en Occident. Puis je posai une nouvelle série de questions aux élèves :

1. — *Votre quête du Zen affecte-t-elle votre vie de chaque jour, vos pensées, vos sentiments, vos réactions, vos valeurs, vos motivations et vos actes ?*

2. — *Lorsque vous méditez, parvenez-vous à dépasser les contradictions qui sont inhérentes à toute pensée, pour appréhender directement la non-dualité ?*

3. — *Comment concevez-vous l'acceptation passive des circonstances et des événements, et comment pouvez-vous concilier cette attitude avec l'énergie qu'il faut déployer pour accomplir tout progrès ou réaliser toute « expérience » ?*

Les réponses ne m'arrivèrent pas toujours à la suite les unes des autres et nombreux sont ceux qui traitèrent les trois sujets à la fois comme on tape dans un jeu de quilles. L'une de ces réponses doit être citée entièrement : « Si la recherche du Zen affecte beaucoup la conception que l'on a de la vie, cela signifie probablement que l'on n'est pas fait pour cette voie. La poursuite du Zen doit résulter de l'attitude qu'on a devant la vie, mais il ne faut pas le considérer comme une nouvelle voie à suivre. « L'arbre ne choisit pas ses fruits », le poirier n'a pas besoin de se demander s'il donnera des poires. Ainsi je ne pratique pas le Zen pour m'amender mais pour m'exprimer moi-même. »

D'autres, moins directs, parlent de « l'horrible petit soi » qu'il faut affronter, dont il faut admettre l'existence et qu'il faut incorporer dans le « Soi » total qui progresse. Pour eux, « le Zen crée un comportement dans lequel les pensées, les sentiments, les ennuis personnels sont considérés comme des limitations. » Ou, pour employer une autre image : « Tout ressemble aux parties d'un grand tableau dont chacune est aussi importante, ou aussi peu importante, que les autres. » Mais pour de nombreux étudiants, la grande découverte consiste en l'approche directe des choses telles qu'elles sont. « Quelle que soit la chose en question, elle est abordée à son propre niveau, avec la bienveillance qui est due et avec toute l'attention et le dévouement possibles. Il faut être à la hauteur de la situation, l'assimiler, la vivre et avoir ainsi accompli l'action. » Quand la jeunesse part sur le bon chemin, que ne sera-t-elle capable de faire plus tard ? « Il faut apprendre à vivre dans le présent », dit un autre, « mais en observant mieux ». « Je vis plus intensément, m'écrit un des étudiants, lorsque je médite et par conséquent je m'inquiète moins. » Et l'examen objectif des choses et des événements doit se faire, non d'un regard qui redoute *dukkha* (la souffrance), mais avec une véritable joie de vivre, « une connaissance spontanée du dynamisme de tout ce qui vit. » « Il est absurde de traîner le passé dans le présent, si merveilleusement vivant. » « Ma recherche du Zen m'a surtout apporté la joie », dit un des élèves, et il distingue nettement cette joie du plaisir des sens. « Je prends les autres pour ce qu'ils sont et non plus pour ce que je voudrais qu'ils fussent », dit quelqu'un qui, sans avoir entendu parler du « retrait des projections » de Jung, met ce phénomène en pratique. Ce retrait permet une plus grande indépendance vis-à-vis des facteurs extérieurs, un grand détachement par rapport aux événements, un relâchement des liens, « un détachement qu'il ne faut pas confondre avec l'indifférence. » « J'ai enfin compris pourquoi il ne faut dépendre que de soi-même — et je ressens le merveilleux soulagement d'abandonner tout espoir ». Autre allusion à la même découverte : « Je pense que le bouddhiste Zen observe le code de morale traditionnelle non parce qu'il considère qu'il a une valeur intrinsèque, mais parce que les raisons qui conduiraient une personne ordinaire à l'enfreindre n'existent pas pour lui. » Ce qui, pour beaucoup, est une idée absolument nouvelle.

Plusieurs de nos étudiants sont parvenus à faire leur cette profonde parole : « Tout ce qui arrive est bon et bien. » L'un d'eux en fait l'interprétation suivante : la séparation qui existe entre l'amour et la haine s'atténue en même temps que s'accroît un respect pour les autres, « qui deviennent insensibles au fait que leurs actes, leurs émotions, leurs idées peuvent différer complètement de ceux du voisin. La vie est alors véritablement une ». Pour cet étudiant, la tragédie perd sa valeur : « car rien ne peut aller mal ». Il faut simplement « laisser aller les choses. Le Zen nous recommande de nous tenir à l'écart et c'est précisément l'effort que nous devons faire. » Cette nouvelle prise de conscience s'accompagne d'une nouvelle forme de compassion, conséquence du caractère un de la vie, de son intégralité. Une étudiante parle de « la souffrance d'autrui à laquelle je ne puis rien, mais qui plonge mon esprit dans une angoisse intense. » Un autre pourrait l'aider par l'analyse qu'il fait de toute sensation de souffrance qui se transforme en concepts dont on peut se défaire. Le regret du passé et l'inquiétude de l'avenir sont des formes de pensée animées par l'imagination. Mais cela fait partie de l'intelligence et le cœur continue à souffrir jusqu'à ce que l'on puisse dire de chaque brûlante larme humaine : « tu as toi-même séché les yeux de celui qui pleurait. » Seul l'esprit de Prajna peut cesser de réagir ainsi et le cœur du Bodhisattva ne souhaite pas le faire.

L'étudiant qui avait traité la première question avec tant de mordant me fit des reproches au sujet de la troisième. « Je ne considère pas les couples de contraires comme des lignes parallèles qui ne se rejoignent jamais. En allant au-delà de ces lignes, je les emporte avec moi sous une autre forme. Si je devais rejeter les contraires, je créerais simplement un nouveau couple dualité contre non-dualité. Ainsi donc, pour faire l'expérience de la non-dualité, il faut que je cesse de la considérer comme telle, parce qu'il est impossible de considérer quoi que ce soit d'une manière non-dualiste. Par conséquent, je m'efforce de perdre l'habitude de « considérer les choses ». Avec d'autres auteurs je serais tenté de qualifier cette attitude d'habileté intellectuelle. Mais ici, il s'agit, je pense, d'expérience réelle. On parle beaucoup de la façon calme et posée dont on regarde les choses dans les écoles de bouddhisme. Cela est censé faire partie du domaine psychologique. « J'ai pris conscience de cette recherche (du Zen) comme d'une danse entre la vie intérieure et la vie extérieure. Il suffit de s'asseoir, de regarder et on aperçoit des choses extraordinaires qui bougent dans les eaux sombres avant de monter à la surface. Quelles formes prendront-elles ? je ne sais, mais elles sont vivantes, elles sont douées de mouvement et ont une grande vitalité. » Cette attitude de plus en plus objective devant des événements d'ordre mental est excellente car elle permet de se débarrasser des projections sur lesquelles Jung insiste beaucoup et elle redonne l'intégrité totale à l'individu qui doit mettre à profit le moment unique de l'éternité pour toutes ses actions. Certains étudiants appréhendent les contraires du sommet, c'est-à-dire grâce au concept dans lequel ils se fondent en un (tout en restant deux). « Je commence par essayer de me débarrasser du moi, puis je me concentre sur le thème du haut du triangle. Alors d'autres pensées me traversent, comme libérées, mais ce ne sont pas des « pensées ». Comme un autre membre de la classe le fait remarquer : « l'expérience de la non-dualité n'a rien à voir avec la pensée et il faut simplement laisser opérer et pénétrer en nous cette vérité. » Elle nous délivre de quantité d'idées et de concepts. Nous sommes libres de faire attention à la tâche qui est devant nous. Marcher c'est marcher, manger c'est manger... (De célèbres phrases Zen renaissent ainsi dans les esprits des Occidentaux dans le creuset de l'expérience.)

Je terminerai en citant une expérience qui n'appelle pas de commentaire : « J'ai commencé par les contraires, sans le savoir, en suivant les instructions de *The Cloud of Unknowing*. Je répétai le mot Dieu, je le répétai sans cesse, vingt-trois heures sur vingt-quatre, au rythme de ma respiration. Il en résulta une violente tension et je ne distinguais plus Dieu du diable. Je tombai dans le désespoir. J'avais l'impression d'être devenu si mauvais que je n'étais plus capable de savoir où était le bien... J'étais traqué, j'avais les nerfs de plus en plus tendus. Puis je revins chez moi... je revins au Zen. Je méditai sur les contraires. Dès qu'une pensée se présentait à moi je la précipitais dans l'inconscient et laissais « mijoter le tout ». Alors, un jour, tout a débordé, tout a pris possession de moi. J'eus l'impression très nette de devenir fou et je me murmurai à moi-même : « Nirvana et Samsara ne font qu'un ! » Puis un après-midi, à Kensington Garden, j'ai capitulé, j'étais épuisé, je me suis mis à regarder les fleurs. Peu à peu je fus envahi par un calme extraordinaire. J'étais enfin en paix. A présent je sais que je sais, mais je ne sais pas ce que je sais. »

Au sujet de la passivité en action ou de l'énergie sans effort, on se dispute joyeusement. Dans l'ensemble on admet la nécessité de l'acceptation des circonstances extérieures. Nombreux sont ceux qui invoquent la loi du Karma. « Je ne me suis jamais laissé abattre par l'adversité, mais j'ai appris la sagesse de l'acceptation intérieure grâce à la loi du Karma à laquelle je crois. Mon instinct (très occidental) me pousse à agir immédiatement, mais l'acceptation me semble être parfois une forme d'action. » Autre citation : « L'acceptation passive de toutes

les conditions et de tous les événements est absolument nécessaire car ils forment notre destin karmique tel que l'ont préparé nos naissances antérieures. » Pour d'autres, l'acceptation
est un énorme effort. « Il faut faire des efforts continus pour
déchirer les revêtements dont nous avons recouvert la réalité
et cette énergie n'est nullement affectée par l'acceptation des
conditions présentes ». Autre commentaire : « Dans mon cas,
être passif c'est refuser les contraintes et les inhibitions », mais
ce refus est aussi une forme d'effort. L'effort est absolument
nécessaire et il faut, comme l'on dit, en accepter les nécessités.
« Pour se débarrasser d'une habitude particulière, il est inutile
de s'embarquer dans des remords, des résolutions et des leçons
de morale, car cette méthode ressemble aux difficultés qu'il
y a à se débarrasser d'un papier collant... » Nos étudiants parviennent à relâcher la tension, c'est-à-dire à la détente. « Ainsi
l'Absolu attire la particule relative comme un aimant la limaille
de fer. » Un autre va plus loin : « Ici, je ne vois pas de problème.
Pour qu'il y ait problème il faudrait supposer que l'énergie
ne peut agir que si elle doit lutter pour un objet conscient.
Mais l'attachement dissipe l'énergie... je pense à « The Strength
of no Desire » (La force du non-Désir) de Suzuki. « L'acceptation passive n'est un fait que lorsque je suis face à face avec
un fait que j'accepte pour ce qu'il est, sans essayer de le modifier. Il est ce qu'il est à cet instant-point du moment... La
perception claire qui permet de faire face à un fait ou à une
situation avec toute son attention manifeste le dynamisme,
l'effort ou l'énergie de l'individu et son action n'est que la
continuité de la manière dont la situation est traitée... »

J'ai tiré ces commentaires et réflexions d'une trentaine de
devoirs de trois cents mots chacun, en moyenne.

Certains étudiants ont trouvé que nous marchions à un
rythme trop accéléré, ils se reposent et reprendront sans doute
le combat plus tard. Mais d'autres, bien loin d'être poursuivis
par le molosse du Ciel, donnent de la voix et jappent joyeusement. J'ignore ce qu'en penserait un Maître, mais je crois qu'il
sourirait, d'un sourire illuminé de Zen.

22

TROISIÈME SÉRIE D'EXPÉRIENCES ZEN

La nature procède par bonds et par pauses, rarement par le mouvement continu cher aux présidents des sociétés d'affaires et dans l'ensemble les réponses à la troisième série de questions manquèrent d'inspiration. Les deux premières étaient les suivantes :

Quel est le rapport entre votre développement intérieur actuel et l'éveil de Bodhi-citta, c'est-à-dire de la compassion pour toutes les formes de la vie et toutes ses souffrances ?

« La vie quotidienne est très Tao (ou très Zen) ». Une demi-vérité dangereuse, si elle est interprétée superficiellement, mais bien comprise elle pourrait servir de fondement au Zen occidental. Comment l'expliquez-vous ?

Une quatrième série de questions comportait les mêmes sujets que ci-dessus, mais il fallait les traiter d'une manière plus poussée. Les résultats furent étonnants et témoignèrent d'un remarquable jaillissement d'intuition. Les questions étaient les suivantes :

1. — *On a dit que le Karma était la loi de l'harmonie; celui qui l'enfreint en subit les conséquences. On a dit que la compassion était la loi des lois, l'éternelle harmonie. « Voyez »-vous que le Karma et la compassion sont vraiment les aspects d'une loi d'harmonie ? Si oui montrez-moi que vous le « voyez ».*

2. — *« L'attitude d'esprit de chaque jour est une attitude Zen »* [1]. *« La vie quotidienne est très Tao. Ici, même, dans la poubelle. » C'est vrai, mais est-ce vrai pour vous ? Montrez-le moi.*

3. — *« Sois humble et reste entièrement toi-même. » C'est une citation tirée du Tao Te Ching, et l'une des plus vieilles*

1. Le Zen n'explique rien, il ne fait que « voir ».

vérités qui soient au cœur de l'homme. Est-ce une vérité pour vous ?

La classe a atteint un point où le développement personnel et la variété des chemins qui conduisent à ce développement aboutissent à une grande complexité et à une méthode d'approche qui, appliquée à une trentaine de citoyens, peuvent donner une idée de la mentalité occidentale. Les tempéraments se caractérisent nettement, le mystique de la « naturalité », l'intellectuel-intuitif, le ritualiste-philosophe, le jardinier taoïste, l'extraverti, le psychologue-analyste de lui-même, et beaucoup d'autres, la plupart admettant avec tolérance la façon différente dont les autres abordent une même réalité. Mais chez tous on sent la part du hasard dans les résultats obtenus. L'un d'eux écrit 1 200 mots sur la première question et fait un article remarquable, mais trop intellectuel, puis en douze lignes sur la deuxième question il crève le plafond avec une intuition remarquable. La rapidité des réactions est si différente qu'on en est embarrassé. Parmi les meilleures questions, plusieurs arrivent par la poste en quelques jours ; d'autres étudiants se plaignent au bout de deux mois de « mijoter » encore et de ne pas avoir trouvé la réponse. Mais on constate, chez tous, un sens profond d'intégration à la vie, c'est-à-dire d'interdépendance avec tout ce qui vit. Après un cours où nous avions discuté de Nirvana et de Samsara, l'un d'eux m'écrivit : « Quelle perte de temps que de s'échiner à combler un abîme qui n'existe pas (entre Nirvana et Samsara) ! La difficulté tient au fait que nous voulons séparer l'un de l'autre alors qu'ils ne font qu'un. Il n'y a pas d'incompatibilité entre eux. »

Il est intéressant d'examiner la première question de la troisième série, sur la compassion, en même temps que la première question de la quatrième série, sur la compassion, l'harmonie et le Karma.

Ces concepts et les profondes réalités religieuses et spirituelles qu'ils symbolisent sont si étroitement liés les uns aux autres que leur unité fondamentale apparaît d'une manière frappante. Beaucoup considèrent l'harmonie comme un concept fondamental : « L'univers est un et indivisible. C'est pourquoi il est gouverné par la loi de l'Harmonie. Etres et choses s'influencent les uns les autres. Un ours polaire tousse au pôle nord et les sables du Sahara bougent. Il n'y a *pas de soi séparé*. L'énergie cosmique n'est pas divisée dans les individus. La compassion résulte de cette connaissance... » « La vie est une réalité dans laquelle tout est si étroitement lié qu'il n'y a pas de distinction possible. Tout est rapport intérieur-extérieur, tout fait également partie de mon existence et, dans la vie de tous les jours, on déclenche à tout moment une réaction en chaîne à vous couper le souffle. Je regarde et réagis, j'évolue, je change, je flotte. De l'intérieur à l'extérieur où est la frontière ? Dans ces incessants changements, fusion, modifications, naissance et mort, chaque objet ou événement éphémère du Karma représente son devenir manifeste dans l'espace et le temps. Ainsi des myriades de potentialités du Karma émanent de l'être humain dans toutes les directions pour embrasser tout l'univers. Le Karma donne à la vie des hommes son homogénéité, en fait un tout vivant afin que son passé continue à vivre avec lui. »

Un autre étudiant reprend la même idée : « La compréhension profonde de l'unité de la vie s'accompagne d'une compassion également profonde pour toutes les formes de la vie. Le caillou est mon frère... Mais il faut que j'en aie fait l'expérience *moi-même*. C'est alors seulement que ma compassion est une action-réflexe qui fait corps avec la vie, et qui participe à son intégralité. Si cette compassion obéit à mes propres motivations, elle entraîne des conséquences qui font intervenir le Karma. » Ici le moi apparaît. « C'est notre propre esprit débile qui nous empêche d'éprouver une compassion naturelle et spontanée pour autrui. » Et la phrase suivante : « Nous ne devenons conscients des lois karmiques que lorsque nous cessons d'être objectifs dans notre attitude devant la vie. Seul le sentiment du « moi » trouble l'harmonie car l'harmonie est indivisible et c'est le « moi » qui divise. Quand nous prenons conscience du Karma nous voyons notre déséquilibre, la loi ne se faisant sentir que dans le dualisme. La compassion est inconsciente, quand nous en sommes conscient, ça n'est pas de la compassion. » Plusieurs étudiants arrivent à la conclusion suivante : « Si nous avons une vue dualiste du monde, c'est parce que le Karma fut créé par une perturbation de l'Harmonie à laquelle seule la compassion spontanée peut remédier. « Quand nous sommes à contre-courant avec l'unité de l'univers, le Karma intervient pour rétablir l'équilibre. »

Mais il faut se rendre compte de la perturbation avant de pouvoir y remédier, autrement on est malmené par la Loi. « Pour s'élever il faut commencer par le bas ». « Les lois du Karma sont nos maîtres si nous reconnaissons que la compassion est à l'œuvre derrière elles. » « La compassion, écrit un autre élève, est le désir constant et conscient de bénir tout le monde, partout. J'obéis ainsi à ma propre loi d'Harmonie et si je ne le fais pas, je dois en payer la rançon. »

« Je vois le karma et la Compassion, écrit un autre étudiant, comme les moyens habiles d'une loi d'Harmonie, ce sont deux balais pour nettoyer le chemin qui mène à l'Harmonie. » Mais ici apparaît un léger reproche parce que j'ai parlé de « lois » et qu'il ne faut pas imaginer l'existence d'un législateur. « N'allons pas croire que le Karma existe, mais c'est le mot que nous utilisons pour décrire nos actions et réactions. » C'est très bien dit. Plusieurs de nos néophytes indiquèrent que la souffrance était le facteur commun à tous ces concepts. « Seule l'acceptation de ses propres souffrances mène à partager la souffrance des autres », écrit l'un d'eux. Un autre exprime peut-être la même idée en demandant que nous consacrions un peu de temps à nous prendre nous-même en pitié. Car c'est le « moi » qui crée toutes les difficultés. « Il est paradoxal que pour se débarrasser du « moi » il faille d'abord vivre avec lui, l'observer ; ces sentiments d'orgueil, de crainte et autres ne disparaissent que si on les a vécus. » Ainsi naît Karuna, la compassion active. Il est impossible de susciter ce sentiment par une volonté délibérée, mais il faut vivre « comme si » cette flamme était déjà en nous. La compassion ne se manifeste qu'inconsciemment et celui qui est touché par cette grâce en est en quelque sorte inconscient. La compassion agit spontanément, sans réflexion préalable. « Après avoir cherché pendant des années à sympathiser avec la souffrance des autres, je me rends compte que cela n'est pas la vraie compassion mais une sorte de satisfaction égoïste. » L'idéal est d'agir naturellement, c'est-à-dire comme doit le faire un esprit qui a cessé de voir les êtres comme des entités séparées et qui sait qu'ils font tous partie de l'Un, l'unité fondamentale.

Donc « le débat continue », au sujet d'un concept général sur l'univers qui est harmonie. Quand le moi agit pour rompre cette harmonie, l'individu en subit les conséquences. La compassion Zen est la force salutaire qui refait l'unité lorsque l'équilibre a été rompu, c'est le pouvoir guérisseur qui contrebalance les effets destructeurs de notre folie.

Deuxième question. Après avoir erré dans le dédale des grands principes, la classe s'est tournée vers des questions moins introverties qui sont celles de la vie courante, de la mentalité quotidienne, Tao ou Zen. Le danger évoqué dans la question initiale est bien réel. Il est trop facile de croire que « la vie ordinaire » dans sa sottise aveugle apportera un jour l'étincelle. Au dix-neuvième article du *Mumonkan* nous lisons : « Joshu demanda à Nansen : Qu'est-ce que le Tao ? Nansen répondit : L'esprit ordinaire est tao. — Devons-nous essayer de l'obtenir ? demanda Joshu. » « Dès que tu essaies de le saisir il t'échappe », répondit le maître. Citons, une fois de plus, les paroles de Suzuki : « Rien n'est infini sauf les choses finies. » Et celles d'un membre de l'École : « Le champ de l'expérience est ici et dès maintenant. Irions-nous au bout du monde que nous n'échapperions pas à la vie ordinaire et banale. Où pouvons-nous chercher l'illumination ? » Par conséquent, « prenons la vie comme elle vient sans attendre les grandes occasions et sans mépriser le tout-venant. Laissons couler la vie quotidienne, accomplissons de tout cœur les petites choses qui se présentent à nous et quittons-les sans regret. » Dans quel esprit ? — Eh bien ! avec mon esprit de tous les jours. « Seuls les hypocrites ont un esprit du dimanche. » Le Zen est le Tout, il contient tout dans sa totalité, ce qu'on trouve et ce qu'on rejette de peine, d'humilité et de labeur quotidien. « Tout cela est si évident, m'écrit-on, qu'il m'est impossible de vous *montrer* que je le comprends. Décrit-on l'état de l'eau ? » La plupart de mes correspondants sont d'accord pour dire : « Ce qui est nécessaire, c'est de vivre la vie ordinaire d'une manière pas ordinaire ». Vivre dans l'instant, voilà le secret. « Mais il est impossible de vivre dans le présent sans accepter ce qu'il a de mauvais comme ce qu'il a de bon et sans abandonner le goût du passé et le désir de l'avenir. » Les difficultés viennent toujours du moi. « Le moi ne supporte pas qu'on le tienne à l'écart. » « Vivre selon le Tao, c'est agir sur le moment. Sans penser, sans spéculer avant, pendant ou après. L'action remplit totalement le moment... Si nous pouvions toujours vivre ainsi nous serions illuminés. » C'est perdre son temps que de chercher à voir tout l'univers dans le cendrier. Il y est présent, mais tant qu'il y a un voyeur et un objet vu, il y a deux choses, et la vraie vie « ordinaire », naturelle, se vit dans la non-dualité. Car le Zen est liberté et seul l'homme libre, libéré par Prajna, peut vivre la vie sans but du Zen. Ne voyant pas de distinctions ou ne les voyant que comme les enfants de l'illusion, il est également satisfait d'une boîte à ordures ou d'une symphonie, de coudre un bouton ou de porter une couronne. Tout cela suppose qu'on lutte, me disent de nombreux étudiants. « Tout cela implique une lutte intense, mais une lutte inutile et qui ne mène nulle part. Pourtant, sans elle, on n'arriverait jamais à la deuxième étape, celle où l'on abandonne la lutte — et jusque là, il n'y a pas d'illumination. » Mais, dit un autre, le Zen libère l'énergie que l'on perdait dans la confusion et le désordre du monde de la relativité, où l'on se demandait : suis-je sur le bon chemin ? Avec le Zen nous sommes confiants et délivrés de l'anxiété. Le Zen est inconnaissable et indescriptible mais il opère. » Le *Tao Te Ching* a donc le dernier mot. « On ne le voit pas. On ne l'entend pas. Mais si on a recours à lui, il est intarissable. » Une de nos jeunes étudiantes a exprimé à peu près la même idée en vers :

Au long de ma journée
Je regarde les gens, les lieux et les choses.
Je les juge bons ou mauvais, nobles ou vils,
Le mien et le tien
Et ainsi divisés, ils me troublent et me plongent dans la confusion.

Mais lorsque telle une flèche
Lancée par « CELA »
Je touche au fait central, qui n'a pas de centre,
Où poser une poubelle —
    Ou un diamant
        Ou moi-même ?

Après cela, quand dans la vie courante
Je vois un banc de sable ou une étoile,
Je souris
Et les laisse être ce qu'ils sont.

Troisième question. « Sois humble et tu resteras toi-même ». Je fus longtemps fasciné par cette phrase qui est citée dans le *Tao Te Ching*, l'un des textes sacrés les plus importants du monde. Nombreux sont les membres de notre Société qui n'en saisirent pas toute la grandeur et la réduisirent à une banale condamnation de la vanité. Certains s'indignèrent même du mot « humble » et dirent que l'individu devait parfois s'imposer pour ne pas être confondu avec le troupeau. D'autres apprécièrent le sens de cette formule qui répond à « un état d'esprit directement conditionné par le cœur. » L'un d'eux écrivit : « C'est le cœur de la question mais il ne faut pas le séparer de la tête car, dans le Zen, il ne peut y avoir deux choses distinctes ». Les pèlerins suivent ce chemin ou

d'autres chemins, mais il n'y a qu'un pèlerin et il doit devenir son propre chemin. « Mais nous devons *rester* nous-même,
conserver notre intégrité et ne pas arracher la partie de nous-
même qui ne nous plaît pas ». « Il faut descendre d'un pas pour
remonter d'un pas », parole qui me rappelle ce que je disais
à un élève il y a longtemps : « Avant de devenir extraordinaire il faut apprendre à être des plus ordinaires ! » La question de l'acceptation est mise en évidence. « Vivre humblement
c'est ne rien revendiquer, ne rien reprocher et ne demander
que ce qu'apporte le moment présent. » Nous devons être con-
tents de n'être rien. « Tu es l'écume qui est à la surface de la
mer. Laisse l'écume se dissoudre dans la vague et fais un geste
intérieur de détente devant la liberté de la mer entière. » « Rien
ne grandit davantage un homme que son pouvoir de s'humilier
lui-même. » Un autre étudiant écrit très justement : « La clef
du problème tient dans le mot *rester*. L'intégrité d'un être
humble consiste en un détachement de soi qui fait que le moi
ne compte plus. » Ne plus partir au-dehors à la recherche d'un
trésor, mais chercher dans son propre placard l'obole de la veuve.
L'humilité ne connaît pas la peur ; les gains et les pertes ne
comptent pas pour elle. L'homme humble ne prend pas d'otages
dans la guerre de la fortune, il reste simple et sans confusion.
On n'est pas humble à volonté. L'humilité est un sous-produit
de la connaissance de soi. »

A ces réponses, je voudrais ajouter un mot personnel. En
méditant, j'ai commencé par l'autre bout, le mot intégrité
(de soi-même). C'est l'absolu primordial : « Le visage originel
qu'on prend avant d'être né ». Ce visage, il ne faut jamais le
perdre car il est dans la plus petite de nos actions quotidiennes
et ne cesse jamais d'exister. Affirmer le moi, c'est rompre cette
harmonie, cette unité, cette intégrité. Le Karma intervient
pour rétablir l'Harmonie, pour montrer à chacun qu'il est sage
de rester soi-même. Et c'est grâce à cette sagesse que nous
appelons humilité, non-affirmation de soi-même, que nous
conservons cette intégrité.

Voilà donc un rapide examen des réponses qui ont été faites
à ces deux séries de questions. Si j'en juge par l'intérêt que
présentent beaucoup d'entre elles, je dirai que je fus éclairé
par la lumière de l'intuition. Du moins constituent-elles un
record au point de vue de l'expérience et je terminerai par les
paroles d'un des étudiants : « De la naissance à la mort nous
n'avons rien d'autre que notre propre expérience. Qu'on l'appelle
ou non par son nom, elle poursuit son cours. L'expérience est

une affaire personnelle, on ne la connaît que lorsqu'elle prend conscience de son cours, car nommer une expérience c'est donner à un flot mouvant un semblant de fixité. Mais voir le monde comme un ensemble d'entités invariables est une illusion et se cramponner au flot c'est commencer à souffrir. La forme étant vacuité et la vacuité étant forme, la vie jaillit du vide à tout « moment » ou entre deux « moments » et chacun de ces deux vides est le vide de l'éternité. Je ne suis pas encore parvenu à cette expérience suprême, mais je l'entends d'ici dans un silence à demi-compréhensif. » C'est dans le silence que nous sera donnée la connaissance...

23

QUATRIÈME SÉRIE D'EXPÉRIENCES ZEN

Ces questions sont destinées à dépasser la simple doctrine, mais excluent néanmoins la question du Koan. Elles ont pour but de stimuler la pensée, de l'entraîner au-delà de la pensée, là où l'intuition apportera directement une véritable réponse. Dans notre vocabulaire de la classe je demande une réponse intuitive immédiate, jaillissant de l'esprit comme une fusée, qu'elle soit ou non intelligible.

Ce quatrième résumé m'a été demandé par les élèves. C'est une manière de leur faire connaître ce qui se passe dans la mentalité collective, car nous ne divulguons jamais aucune réponse.

1re question. Nous savons tous que le « soi inférieur » qui lutte pour son propre avantage est irréel, mensonger et illusoire. Qui le sait ?

La proportion des réponses véritablement intuitives, c'est-à-dire non élaborées dans la réflexion, paraît être en léger progrès. Mais il serait très utile d'obtenir davantage de « réponses fusées » immédiates.

Certains rejettent carrément la notion de dualité impliquée dans cette question. « Qui parle d'un moi inférieur ? Pourquoi ne pas mettre le moi la tête en bas et dire que le haut est sale et le bas propre ? Un autre écrit : la bataille des « moi » est une illusion parce que ce n'est que le petit moi qui mène une guerre civile — les contraires s'annulant toujours l'un l'autre... »

D'autres admettent qu'il y a lutte, mais considèrent que c'est une lutte illusoire.

Le « moi inférieur » et le « moi supérieur » !
Pourquoi celui qui est honorable fait-il des bruits grossiers ?

Cherche-t-il toujours la nature du Bouddha chez le chien ?
La vérité est facile à voir. Regardez ! Regardez !

D'autres admettent un troisième terme, un temps de conciliation qui voit le vrai et le faux et résorbe leur dualité. Ils font allusion au « visage originel » ou au « Bouddha intérieur ». Un autre demande : « Pourquoi faut-il que l'être humain sache ce qu'il n'est pas ? Réponse : Dieu sort de lui-même pour se connaître en tant que Soi et non-Soi. C'est pourquoi l'homme doit savoir ce qu'il n'est pas afin de savoir ce qu'il est ». Autre commentaire : « Quand le blé est passé par la machine à vanner... il sait. » Plusieurs s'en prennent au mot *savoir*. « Savoir, c'est faire l'expérience toujours nouvelle qui prend chaque fois l'éternel moment par surprise... C'est une attitude d'esprit toujours présente... » Souffrir avec tous, aimer avec tous, répondre à toutes les demandes, à tous ceux qui crient au secours ; atteindre le Nirvana et pourtant ne jamais quitter le bar à quatre sous, sur ce chemin peut-on dire autre chose ? sinon que « l'on sait ».

Celui qui sait est hors de la lutte et il la domine ; c'est ce qu'ont compris un grand nombre d'élèves. « Le Maître ne va pas s'abaisser dans le Soi inférieur, pas plus qu'il n'éprouvera d'extase dans le Soi supérieur. Il vit dans la situation, devient lui-même cette situation en sachant qu'elle est ainsi, telle qu'elle est, dans un monde non-conceptuel, verbalement inexprimable. » Pour terminer, nous ferons une remarque qui élève le sujet et le pose à sa vraie place. « Le « soi inférieur » sait, c'est pourquoi il lutte. Plein de sérénité, le Soi, qui n'est pas concerné parce qu'il n'a rien à défendre, se contente de sourire ; il accepte tous les phénomènes sans distinction ni choix. Ne détruit rien, ne tue rien, même pas Son soi inférieur, car les germes de la destruction n'existent pas en lui. Seul ce qui participe à la nature de la destruction peut détruire ou être détruit... »

Deuxième question. Si le bien et le mal forment un couple de contraires, qu'est-ce qui vous retient dans le bien ?
Cette question suscita immédiatement un débat. « Le mot *si* est évidemment le mot essentiel. Je ne pense pas que le bien et le mal s'opposent. Ces termes s'appliquent simplement à un égoïsme relatif. » « Ces termes n'ont pas de signification en soi », écrit un autre membre de la classe. Un autre parle du moyen terme qu'implique toute dualité. « Le bien véri-

table n'a pas de contraire. Ce que nous appelons « bien », en opposition au mal, c'est la perfection *moins* quelque chose. C'est Dieu apparaissant dans une manifestation qui nous est perceptible, à nous, qui sommes des êtres limités ; par conséquent ce n'est pas le Bien. Le Bien est illimité, Dieu est illimité, Nirvana... » La notion erronée de la dualité entretient l'illusion. « Le Bien et le Mal ne sont pas des réalités, mais des commentaires. » Un autre écrit : « Le mal. Heureusement pour le Nirvana il y a Samsara ! » (le devenir, l'existence du monde). Plusieurs estiment que nous créons ce soi-disant problème par le fait que nous faisons un « choix ». « Le vrai chemin n'offre de difficultés que si nous choisissons : cela est bon ou cela est mauvais pour moi. » Le conflit entre le bien et le mal est la maladie de l'esprit ». Certains sont en désaccord là-dessus. « Le Tao ne peut agir que dans le champ de l'action — et celui-ci est fourni par les contraires. Nous sommes Tao en action. Notre but n'est pas d'être bon, mais de conserver notre intégrité afin que tous nos gestes et moyens d'expression soient en harmonie avec le Tao ».

Nombreux sont ceux qui écrivent que l'illusion qui sépare le bien du mal se résout dans l'action juste. Ce qui importe, c'est de faire ce qui est à faire en ayant la compassion comme motif. « Un cœur rempli de compassion ne considérerait pas le bien et le mal, mais se répandrait dans toutes les directions, sans jamais juger et condamner. »

Il convient de citer encore deux autres réponses : « Le soi inférieur possède toutes les vertus et il n'y a aucun mérite à être illuminé. Rester dans le bon chemin, c'est rester dans l'ignorance. » Et finalement cette « réponse-fusée » : « Avançons dans le brouillard jusqu'au sommet de la montagne. La vue est bouchée mais quand le soleil brillera le brouillard disparaîtra. »

Troisième question. Le maître et l'élève vont contempler le soleil couchant du haut d'une montagne avoisinante. Au bout d'un moment, l'élève murmure : Toute cette beauté sera bientôt engloutie dans la nuit. — Toute cette beauté, dit le maître. Un instant plus tard, la nuit tomba. — Hélas ! hélas ! dit tristement l'élève. — Toute cette beauté, répéta le maître. Il se mit à pleuvoir. — Rentrons chez nous, fit l'élève. — Oui, dit le maître, rentrons chez nous. Là le soleil se couchera-t-il ?

Cette question s'est avérée plus difficile que les précédentes.

On a abondamment parlé du coucher du soleil (ou du lever du soleil) et de la montagne représentant le chez soi. « Coucher du soleil, lever du soleil. La pluie tombe, les brumes se lèvent. Le foyer, c'est là où l'on est. Tous les jours sont de bons jours. Commencer c'est finir, finir c'est commencer. Il n'y a pas de solution de continuité entre les deux idées si nous n'en créons pas une. » Quand ils rentrèrent chez eux, il pleuvait averse *et* la nuit était noire *et* la lumière du soleil couchant rayonna sur eux tandis qu'ils étaient sur la montagne avoisinante. » Je crois que beaucoup l'ont compris. Mais le plus difficile était de commenter l'expérience. On m'expliqua l'illusion de la dualité d'une manière intéressante. « Il peut y avoir, dans un coin de l'esprit, le regret de voir se coucher le soleil, alors que le cœur a une vision du soleil levant... Peut-être parce que l'esprit ne peut que regarder, tandis que, parfois, le cœur peut « voir ». « Voir » est important pour le Zen. » On voit la réalité tout entière en regardant attentivement l'une de ses parties — soit le lever, soit le coucher du soleil. La réponse suivante est plus imprégnée de Zen. « Le sentier est glissant, dit l'élève, mais vous n'avez pas besoin de lumière ». Enfin celle-ci qui est plus classique :

On voit encore le soleil couchant — on revoit le soleil couchant.
On ne voit plus le soleil couchant — Il ne nous a jamais quittés.
En rentrant chez soi, verra-t-on le soleil couchant ?
    C'est vraiment la question !
    Prenons une tasse de thé !
    Où cela nous mène-t-il ?

Quatrième question. Le maître et l'élève attendent un bus. Le bus arrive, il est plein et ne s'arrête pas. Il y en aura bientôt un autre, dit l'élève. — Il n'y en aura pas d'autre, dit le maître — Mais je sais qu'il y en aura un autre, dit l'élève. — Abruti ! dit le maître, en lui flanquant un coup de parapluie sur la tête. — Oh ! dit l'élève, je vois ce que vous voulez dire. La route est en effet très large. — Tu fais des progrès, dit le maître, tandis qu'un autre bus arrive. — Dans quel autobus sont-ils montés ?

Cette fois-ci toute la classe s'est répandue en commentaires. « On ne peut prendre qu'un autobus, celui qui est ici, devant soi *maintenant*. On ne peut manquer qu'un seul autobus, celui qui est ici, devant soi, *maintenant* ». Ils prirent l'autobus qui ne marchait pas parce qu'il était là. Nous n'osons prendre que l'autobus qui ne marche pas car si nous quittons notre maison un instant, nous trouvons, en rentrant, une carte de visite sur le paillasson. Oh ! pourquoi ne sommes-nous pas restés ICI ? » Un autre étudiant s'exprime plus succinctement. « Autobus, autobus, autobus, Pas deux. »

L'un des étudiants fait du Zen un omnibus. « On pourrait dire que le Zen est un autobus, si on le prenait pour réduire la vacuité en poussière » (?)... « Bien sûr, il n'y en a pas d'autre, ils ne pouvaient prendre que celui qu'ils ont pris. C'est toujours « celui-là le bon ». Saute dedans, vite, vite. Maintenant, impossible de changer... » Un autre étudiant qui, semble-t-il, est monté dans l'autobus : « La rampe est froide, mais comme il fait chaud à l'intérieur ! Oui, la place, il faut la payer, mais après tout, il nous ramène à la maison. » Plusieurs ont compris l'allusion à la route qui est en effet très large. C'est la méthode de la troisième dimension, la méthode qui consiste à prendre ou à laisser. Comment grimper sur une échelle quand il n'y a plus de barreaux ? Pourquoi surveiller la route de tous côtés ? Traverse-la donc. « Ne prends ni l'un ni l'autre bus », m'écrit-on. « La route devient de plus en plus large et disparaît dans la vacuité. » Cette large, très large route englobe le passé et l'avenir. « Pour rentrer chez eux, le maître et l'élève prennent l'autobus vide, qui est plein. » Mais le même correspondant donne une seconde réponse et il les trouve en train de faire la queue. Il ajoute : « Le Zen ne nous permet pas d'échapper aux manifestations, mais il nous rend capables de les affronter efficacement », cela mérite qu'on s'en souvienne. L'une des réponses parut frappante à la classe, mais son auteur avoua que c'était une citation. « Ont-ils vraiment pris l'autobus ? Le chemin est assez large pour les automobiles, les bus, les bicyclettes et même pour les piétons. » D'autre part, « il y a un autobus, mais pas de chemin pour y parvenir. Ce que nous appelons le chemin, c'est notre hésitation. »

Je terminerai par quelque chose qui est trop exquis pour être passé sous silence. L'un — au moins — de nos étudiants connaît bien *Alice au Pays des Merveilles*, qui est l'un des classiques du Zen anglais. Lorsqu'Alice entendit cette remarque : « Il y en aura bien d'autres », elle dit :

J'ai entendu dire que les choses sont du pareil au même, quant à leur essence on m'en a parlé aussi. Je suppose donc qu'il existe une essence de l'autobus, une essence-autobus intégrale.

Comment y parvenir ? je pourrais, à la rigueur, devenir un autobus... ou l'autobus deviendrait-il moi ? Oh ! mon Dieu ! nous ne sommes plus deux maintenant, dans notre altérité, l'autobus et moi et je commence à me sentir prendre une autre dimension. A ce rythme je n'arriverai jamais à monter dans l'autobus qui ne vient toujours pas.

Mais regardez, voilà qu'arrive un autobus-essence. Et qui ressemble à un autobus à essence, tout court. Je me demande s'il va dans notre direction... si toutefois nous en avons une à prendre. Vraiment j'ai la tête qui me tourne.

— Décidez-vous si vous êtes encore capable de décision, dit le receveur brutalement.

— Mais voilà notre autobus-essence et l'autre, c'est le bon.

Je laisse tout commentaire au lecteur.

UNE APPROCHE DE LA SITUATION

Nous sommes toute la journée en face de situations graves ou banales. Supposons que nous fussions brusquement en présence d'une situation sérieuse qui exige que nous prenions avec énergie et sagesse une décision qui engage notre seule responsabilité.

Dans quelles dispositions d'esprit devrons-nous aborder cette situation ? Celui qui veut être homme-du-Zen devra appliquer immédiatement les principes suivants.

La situation n'existe pas.

1. — La situation n'existe pas. Moi, non plus. Toute manifestation est illusion ou *maya*, les individus et les choses n'ont ni identité ni permanence.

Si cela est considéré comme étant vrai, toute situation n'est qu'un ensemble de facteurs transitoires dans un univers relatif d'irréalité. Toutefois, nous devons résoudre les difficultés de la situation telle qu'elle nous apparaît.

C'est mon Karma. Par conséquent je fais face.

2. — L'ensemble complexe de facteurs et le « Je » qui lui fait face est le résultat collectif de millions de causes. C'est le produit du Karma, une partie de *mon* Karma et je dois l'accepter fidèlement.

Tout ce qui arrive est bon.

3. — La situation résulte du fonctionnement de la loi universelle, elle est par conséquent équitable et bonne. L'univers éclaterait en miettes si le moindre facteur était autre que ce qu'il est. Comme tout ce qui existe, la situation est nécessairement bonne.

Pour saisir le rapport de *Je* avec la situation, il faut avoir assimilé et appliqué ces trois vérités.

Qui affronte la situation ?

4. — Je me demande qui — ou quel aspect du Je (le sujet) — affronte la situation (l'objet) ?

Est-ce que je vois que les trois facteurs qui forment la situation — Je — cela — et le rapport des deux — sont tous également le produit de mon esprit, qui est lui-même un aspect de l'esprit de Bouddha ? A partir de là, puis-je élever ma conscience afin d'être à la hauteur de la situation, c'est-à-dire servir consciemment de passage à la force du Non-né, à l'esprit du Bouddha ? En bref, puis-je me dégager, me mettre à l'écart de la situation ?

Je dois être impersonnel.

5. — Dans la mesure où je réussirai à m'écarter de la situation, je pourrai prendre une décision objective. Cela exclut de prêter l'oreille à la voix du moi qui désire aveuglément se séparer des autres formes de la force vitale. Si j'arrive à extraire du problème les désirs du *Je*, la tension se dissipera.

Contrôle de la réponse.

6. — L'esprit ayant atteint un degré de haute impersonnalité, je suis à même de répondre avec pondération à la situation : approbation, désapprobation, peur, regret, excitation ou désespoir. Puis-je me rapprocher de l'idéal exposé dans la *Bhagavad-Gita* : « posséder une fermeté constante du cœur devant tous les événements favorables ou défavorables » ? Cela est nécessaire, car en l'absence de cette maîtrise de soi il sera difficile de savoir comment il faudra agir ou s'il est préférable de s'abstenir.

Conscience de la Non-dualité.

7. — Finalement, je dois faire face à la situation par rapport à la Non-dualité (ni un, ni deux), car « toutes les distinctions sont de fausses imaginations ». Je ne diffère pas de la situation. Nous faisons partie l'un de l'autre, car nous appartenons tous deux à *Sunyata*, à la vacuité qui n'a pas d'existence mesurable. Il n'y a rien ici qu'une conjonction de faits et de forces auxquels je dois, pour le moment, d'exister. Néanmoins, si, dans l'irréalité de chaque jour, je vois que quelque chose doit être fait, je le fais, sans réflexion, sans motif et sans la moindre idée de récompense.

Ces sept principes aboutissent, en résumé, à une réponse immédiate. Mais une profonde réflexion sur chacun d'eux créera de nouvelles et plus nobles habitudes de l'esprit, une réponse « juste » qui, en l'absence du moi, n'aura pas d'effet karmique, « ne laissera pas de trace » d'un « esprit situé ailleurs », dans un monde où rien n'existe. Ni la situation, ni ma personne, ni l'absence de l'un ou de l'autre.

Alors seulement serons-nous libre de rire de tout, d'un grand rire heureux et animés de ce joyeux contentement nous continuerons à marcher... jusqu'à la situation suivante.

« Une approche de la Situation ».

« Une approche de la Situation » fut très utile à la classe de Zen. La deuxième fois, nous l'avons étudiée en même temps que la traduction par Blyth des quarante-huit histoires Zen dans *Mumonkan* (Le Zen et les classiques du Zen, volume IV). Celles-ci servirent de test à notre expérience du Zen, celle-là nous permit d'en faire l'application.

Bien entendu, il n'est pas question, lorsqu'on est en présence d'une situation nouvelle et urgente, de brandir un exemplaire de l' « Approche » et d'en étudier les dispositions avant d'agir. Mais une étude approfondie de ses principes nous aide à régler la situation plus rapidement, plus efficacement et plus objectivement et en nous inspirant étroitement de l'esprit du Zen.

Il n'y a pas grand-chose à ajouter aux principes formulés initialement ; toutefois je ferai quelques citations et quelques commentaires sur la manière dont la classe les a reçus.

1. — « Cela n'existe pas. »

Bizarrement, certains de nos étudiants ont trouvé ce paragraphe non seulement très utile, mais aussi des plus faciles. Au sujet de l'énoncé et de l'appréciation des faits, voir chapitre 7 : « Au-Delà de la Sagesse » — et pour une étude plus approfondie consulter *Studies in the Lankavatara* (pp. 114-115) du Dr Suzuki qui écrit : « le Mahayana n'admet pas l'existence d'un monde extérieur ; les caractères que nous attribuons à ce dernier sont des créations ou des constructions de notre propre esprit. » Nous trouvons une idée semblable dans les premières strophes du Dhammapada : « Tout ce que nous sommes est le résultat de ce que nous avons pensé. » Dans la vie réelle nous pouvons nous tenir à l'écart de ces choses et circonstances irréelles, tout en jouant un rôle de plus en plus efficace dans les événements, sans que soit entamée notre sérénité profonde.

2. — « *En tout cas, il s'agit de mon Karma.* »

Les deux doctrines du Karma et de la Réincarnation, qui sont fondamentales dans l'École Bouddhiste, ont une importance moindre dans l'enseignement du Zen et pour une bonne raison. Le Karma est la loi cosmique qui maintient l'harmonie universelle. Celui qui rompt l'harmonie doit la rétablir, mais le facteur de trouble est « enfant de la Terre », enfant de la dualité, qui est le monde de la relativité. Le Zen qui cherche à détruire cette idée d'un moi séparé est peu concerné par les problèmes et la souffrance de ce moi. Il en est de même de la réincarnation. Que la longue préparation du Satori soit récompensée dans cette vie ou dans l'autre, peu importe ; ce qui compte c'est de s'y préparer intensément ici et maintenant. En attendant, disons avec le Maître Ryokwan : « J'obéis au mouvement de mon karma, avec un parfait contentement. »

3. — « *Tout va bien.* »

Certains trouvent cela très difficile à admettre et confondent bien et Bien. Naturellement, peu de choses vont bien dans le monde actuel où les « trois foyers » de la haine, de la convoitise et de l'illusion brûlent d'un feu si intense, mais l'ensemble du monde et chacune de ses parties vont bien.

Le plus beau poème de la littérature bouddhiste, « On Trust in the Heart » (Faire Confiance au Cœur), composé par le second patriarche Seng-tsan, glorifie cette grande vérité. Voir l'analyse de ce poème par Blyth dans le premier volume de *Zen and Zen Classics* :

> Renonce à l'esprit qui juge
> « Ceci est bon, ceci est mauvais »,
> Et sans aucun effort particulier
> Où que nous vivions il fait bon vivre.

Il faut apprendre, dit-il, à vouloir ce que veut l'univers, comme il le veut, en ce lieu et en ce temps. « Que ta volonté soit faite », dit le Nouveau Testament — ou encore plus mystiquement, nous devons faire place à la « conscience de l'Être en nous. » Thoreau écrit : « Je sais que l'entreprise mérite d'être tentée, je sais que les choses marchent bien. Je n'ai appris aucune mauvaise nouvelle. » C'est probablement le sens qu'il faut donner aux paroles célèbres d'Unmon : « Chaque journée est une bonne journée », elle nous apporte du bon et du mauvais, du vrai et du faux, du plaisir et de la peine et, comme le dit Kipling à propos du triomphe et du désastre, « il faut traiter de la même façon ces deux imposteurs. » Et Browning avait raison : « Dieu est dans son paradis. Tout va bien dans le monde ! »

4. — « *Qui suis-je, moi qui affronte cette situation ?* »

L'Anatta, ou la doctrine bouddhiste du non-moi, est une question d'expérience et non de doctrine, ainsi que l'a souvent fait remarquer le Dr Suzuki. Que le moi soit divers et multiple, c'est indiscutable. Comme l'a précisé Miss Horner d'après une douzaine de citations, le canon Pali lui-même admet l'existence de deux « moi » ; en ce qui me concerne j'approuve la division ternaire de saint Paul qui est excellente : « le corps, l'âme et l'esprit ». L'animal a besoin d'être dirigé. Considérant les cinq *skandhas* qui constituent la personnalité, le Bouddha dit : « Cela n'est pas mien, je ne suis pas cela ; ici n'est pas mon moi. » Le caractère, « l'âme » ou le moi, ce faisceau de caractéristiques né sous l'empire du Karma qui change et se réincarne, il faut le développer, le purifier jusqu'au moment où la conscience s'élève et voit la situation d'en-haut ; elle s'aperçoit alors que le problème, comme tout le reste, est un produit de l'esprit et comme tel, d'après les paroles de Hui-Neng, qu'il résulte d'une « imagination erronée ». Au-dessus du corps et de l'âme il y a CELA, le non-né, le non-conditionné qui n'est ni à vous ni à moi. Il arrive un moment où il importe peu qu'on cherche l'Atman, la conscience universelle ou la conscience de la vacuité, l'Anatman. Dans un cas comme dans l'autre, on a un avant-goût de l'Absolu, c'est-à-dire que rien n'existe, hors l'esprit de Bouddha qui engendre la Sagesse et la Compassion pour tout ce qui vit dans le triste univers de la dualité.

5. — « *Nécessité d'être impersonnel.* »

Dans l'ouvrage chinois désormais classique, *The Secret of the Golden Flower*, présenté par Richard Wilhelm aux pays occidentaux et accompagné d'un remarquable commentaire de C. G. Jung, nous relevons ce qui suit : « Quand des occupations se présentent à nous, il faut en expliquer l'origine et les comprendre foncièrement... Quand on peut, dans la vie ordinaire, réagir aux choses par purs réflexes, sans que s'y mêlent ses propres pensées ou les idées des autres, une lumière qui jaillit des circonstances se met à circuler. C'est le premier secret. » Pour la plupart d'entre nous, ce n'est pas facile, parce que nous vivons généralement au niveau du kama-manas, c'est-à-dire dans une sphère de relativité où le désir tiraille et gêne la pensée. Mais tant que l'individu ne parvient pas au stade où l'intuition l'illumine, il ne peut avancer sur le chemin.

6. — « *Je dois exercer un contrôle sur ma réponse.* »

Ici la classe a remporté un succès considérable. Tous les jeux sont permis et beaucoup ont trouvé dans le nº 5 la réponse au nº 6. Certains ont suivi le conseil formulé au chapitre LXIV du *Tao Te Ching* :

> Occupe-toi d'une chose avant qu'elle existe.
> Règle une chose avant qu'elle ne plonge dans la confusion.

Ce qui importe à présent, c'est la rapidité de la réaction ou plus exactement de la bonne réponse. Il arrive qu'on soit envahi par les souvenirs, les pensées, l'émotion. Il faut abandonner tout cela. C'est le meilleur des conseils. Respirez profondément, puis considérez la situation avec calme et objectivité.

7. — « *Je sais que je ne suis pas Un ni Deux.* »

Tout le processus est accéléré. La pensée va si vite qu'elle se confond avec la spontanéité. Dans *The Richest Vein*, Gai Eaton écrit : « La pensée ne doit pas s'interposer entre le stimulant et la réaction. On exige de celui qui interprète le Zen une inimaginable spontanéité, une absolue immédiateté. Il ne doit ni réfléchir, ni même penser. » Il s'agit donc d'une action directe, qui n'a rien à voir avec l'action du moi. A présent l'Être — l'Absolu — parle et nous obéissons. A présent, insouciant de notre moi et de ce qui le concerne, nous poursuivons notre marche. Le but et le chemin ne font qu'un. La situation c'est nous-même. A présent nous pouvons vraiment rire de tout cœur.

CONCLUSION

Le problème est donc posé ainsi que le principe d'une adaptation pour l'Occident, de l'enseignement traditionnel de l'École Rinzai du Japon. Inutile de dire que le cours de Zen qui a duré sept mois n'est que le bref résumé d'une initiation qui, pour la plupart d'entre nous, devra s'étendre sur plusieurs années et même sur plusieurs existences.

Entre la méthode classique et celle que je propose, il ne faut pas se dissimuler que la différence est grande. L'école japonaise utilise le koan et parvient ainsi à paralyser la pensée et à libérer entièrement l'esprit qui pénètre directement l'esprit du Bouddha. Mais, comme je l'ai expliqué plus haut, il n'est pas possible d'avoir recours au Koan en l'absence d'un maître qualifié et c'est pourquoi nous proposons autre chose.

Au lieu de tenir l'intelligence à l'écart et de mépriser le service qu'elle peut rendre à celui qui part en quête du Satori, nous estimons qu'elle constitue pour les esprits occidentaux un moyen naturel et efficace qui les aidera à réaliser leur première approche. Nous avons conçu un système d'auto-initiation où l'intelligence contrôlée et orientée par un niveau de conscience élevé fonctionne librement sur le plan de la « Pensée illuminée ». Ici, l'intuition étant la seule faculté qui permette d'avoir une vision « directe » de la réalité, nous la développons... et attendons.

Avec le temps, le premier « moment » survient. Nous autres Occidentaux devons apprendre à l'identifier, à comprendre sa signification et à nous mettre en état de l'accueillir. Ce qui veut dire pour commencer que nous appliquons cette lumière nouvelle à toute action ou situation de la journée, et secondement que nous devenons un organe de transmission impersonnel de la Sagesse-Compassion, cette lumière qui s'est irradiée dans notre esprit trop humain.

D'abord, il faut appliquer les principes. Les philosophes occidentaux parlent beaucoup de leurs découvertes mais il ne leur vient pas à l'idée de les soumettre au test de la place du marché ou du bureau. On leur a solennellement appris à rester objectifs vis-à-vis de leur étude et à ne pas se laisser impliquer dans des complications subjectives. Le Dr Conze, qui fait exception à la règle et de ce fait est méprisé par certains de ses collègues, dit qu'un tel homme est jugé sur la logique de ses opinions mais non sur la vie qu'il mène. Alors qu'il prêche, par exemple, la doctrine de l'Anatta, il n'essaie pas de vivre en tenant compte du fait que son moi n'est pas séparé. Alors qu'il clame la nécessité de l'amour universel dans le domaine moral, il déteste ses voisins. Pour le Zen, la vérité est tout autre. La lettre d'Alan Watts, déjà citée, parle du Roshi Sasaki. « Le Zen est une préparation à la vie du monde, non le but de cette vie dans le monde et il exige l'étude de la sociologie, de la politique, de l'économie, etc. ». Ces différents domaines sont les facettes du Zen en action et nous devons obéir au mouvement de notre Karma, en tout lieu et en tout temps. Le Satori est vraiment le début de la vie Zen et non son but. Dès lors, nous nous consacrons au service de l'Un qui rassemble en soi toutes choses et dont tous les êtres et nous-mêmes sont les multiples formes.

Deuxièmement, il faut que nous apprenions à être les avant-postes de l'Esprit de Bouddha qui a brusquement éclairé le nôtre à un degré infinitésimal. La parole du R. P. Merton prend un sens de plus en plus net : « Dans le Zen la conscience du moi disparaît pour faire place à la conscience de l'Être qui est en nous. » Cette pénétration inexprimable est la quintessence du mysticisme et le cœur du Zen. Nous ne sommes plus enfermés dans les limites de notre Karma passé, mais chaque esprit a désormais une signification cosmique. Chacun de nous peut devenir un des chefs spirituels de l'humanité et nous sommes devant une nouvelle tâche, immense et effrayante, comportant de graves dangers. Nous devons répandre l'enseignement. Où ? Comment ? vaste sujet, dont nous indiquerons quelques aspects et que l'on ne peut ignorer plus longtemps.

Ces vérités spirituelles qui nous ont été révélées par une expérience directe, nous avons le devoir de les partager avec d'autres dans la mesure où ceux auxquels nous les offrons en ressentent le besoin et sont prêts à en tirer profit. La réciprocité s'étendra des rapports entre l'élève, le gourou, jusqu'à ceux décrits par le maître K. H. qui écrit à A. P. Sinnett : « notre premier devoir est d'acquérir le savoir et d'en répandre par tous les moyens possibles les fragments que l'humanité dans son ensemble est à même d'assimiler. » A l'intérieur de ces limites il reste à semer le grain, à offrir une aide à ceux qui en ont besoin, à répondre à tous appels dans ce domaine et surtout à rechercher les personnes qui bénéficieraient de ce que nous pourrons leur apporter.

Toutes ces méthodes sont soumises à la fois au devoir qui nous incombe d'enseigner et à l'obligation de ne pas intervenir dans l'évolution spirituelle d'autrui. *The Voice of the Silence* lance un ordre : « Indique le chemin, même si ton geste se perd dans la foule comme l'étoile du soir se cache au regard de ceux qui marchent dans la nuit. » Nous lisons, au contraire, dans la *Bhagavad Gita*, « qu'il est dangereux de s'immiscer dans le devoir d'un autre. » La manie d'intervenir est un des grands défauts des Occidentaux, car savoir c'est pouvoir et le savoir spirituel a une puissance énorme. Il est redoutable d'en faire soi-même mauvais usage et périlleux de participer au mauvais usage qu'en fait autrui. Celui qui aspire à devenir un maître est responsable karmiquement de toutes les conséquences. C'est pourquoi le gourou hindou répugne à transmettre ce qu'il sait et met son élève sévèrement à l'épreuve avant de lui confier la moindre parcelle de sa propre expérience. Cette attitude nous paraît excellente si nous la comparons aux pratiques des pays occidentaux qui publient à travers le monde des lois de la nature souvent encore mal connues. Tous ceux qui, pour de vils motifs ou par pure ignorance, en font un mauvais emploi, « moissonneront la tempête ». Exemples : la mauvaise utilisation de la désintégration de l'atome, les vicieuses pratiques du lavage de cerveau et tout ce qui s'ensuit. D'où l'état de notre morale occidentale actuelle, ou plutôt sa carence et tout ce qu'on peut en attendre.

Qu'allons-nous enseigner ? « Ceux qui ont réalisé la nature de l'esprit, dit Hui-Neng, font la réponse qu'il convient au tempérament de ceux qui les interrogent. » On a dit plaisamment que pour enseigner on devrait se placer à un niveau légèrement supérieur à celui de l'élève, afin de lui faire faire un bond semblable à celui du chien qui attrape un os.

Le maître doit tolérer que l'élève commette des fautes et qu'il en souffre sérieusement. C'est à cette condition qu'il s'instruira. Il n'y a pas de méthodes parfaites pour apprendre ni pour enseigner, et finalement elles sont toujours abandonnées.

Le dogme, qu'il s'agisse de doctrine ou de méthode, prive l'élève du droit de choisir lui-même et de tirer la leçon du Karma qu'il aurait ainsi suscité.

Le maître doit avoir les mains propres et une grande humilité d'esprit dans l'exercice de son art, ne jamais mettre le *Je* en avant. Par conséquent, il ne s'enorgueillit pas du succès et n'a aucune prétention.

Pourquoi ? Parce qu'en réalité il n'a rien à enseigner, et personne ne peut lui prendre quoi que ce soit. Il montre le chemin, un point c'est tout — « Les Bouddhas eux-mêmes ne font que montrer le chemin » ; au mieux, comme l'a dit Suzuki, ramener dans la bonne direction les efforts de ceux qui semblent l'avoir momentanément perdue. Le maître stimule et encourage l'effort. Son but est de voir l'élève « accomplir son propre salut », selon les paroles du Bouddha mourant. Le philosophe berbère Mehlo Moya, dont les leçons nous ont été transmises par Bowen, disait à ses disciples : « Si tu veux nourrir ceux qui ont faim, apprends-leur à semer car dans le Jardin du Roi nul ne récolte ce qu'un autre a ensemencé. »

Alors que le maître recommande l'étude de la littérature intuitive, comme les textes sacrés de l'humanité, il discute peu. Car le débat est affaire de raisonnement et l'expérience recherchée se situe bien au-delà. Ce qui l'intéresse, c'est de faire naître une conscience intuitive et, quels que soient les « moyens habiles » invoqués pour arriver à cette fin — textes, sermons, silence ou même coups de bâton —, finalement c'est de son exemple plus que de ses paroles que l'élève tirera de lui un enseignement. Rappelons le mot célèbre d'Emerson : « Ce que tu *es* parle si fort que je n'entends pas ce que tu dis. »

Car la tâche du maître consiste à révéler l'esprit de Bouddha qui commence à s'éveiller dans l'esprit de l'élève. « On atteint l'inaccessible par des voies inaccessibles », écrit Suzuki dans un manuscrit non publié à ce jour.

Cela veut dire que le maître enseigne le néant, le vide, la vacuité, la vacuité qui est en lui et qui est la conscience universelle. Mais non comme telle. Hui-Neng dit : « Quand l'essence de l'esprit fonctionne en nous et que nous conversons avec les autres, nous devons nous libérer de l'attachement aux objets et intérieurement nous libérer de l'idée du vide. » Dans cette haute tâche, il sera indifférent aux besoins qu'exprime l'élève, car celui-ci ignore ce qui est bon pour lui. Il sera même brutal s'il le faut, augmentera délibérément les difficultés existantes, dans le but d'accroître la tension intérieure et la « condensation de la vapeur », nécessaire pour ouvrir une percée sur l'illumination. Ceci est la méthode Zen traditionnelle. Elle évite à l'élève de s'appuyer par trop sur le maître et de créer une situation que les psychologues occidentaux appellent un transfert mental, qu'ils jugent difficile à dénouer.

En bref, il doit scrupuleusement éviter d'intervenir et laisser l'élève découvrir pour lui-même la voie la meilleure car
« les chemins qui mènent à l'Un sont aussi nombreux que les
vie des hommes », vérité que l'on m'a apprise il y a quelque
cinquante ans et que chacun doit faire sienne.

Quant à l'élève, il faut qu'il se prépare à recevoir l'aide du
maître qu'il a choisi. « Quand l'élève est prêt, le maître apparaît. » Il posera des questions mais en sachant que la véritable
réponse se trouve déjà dans la question si elle est bien comprise. »
Car, pour le Zen, question et réponse sont considérées comme
un couple de contraires. Il n'admettra aucune autorité et sera
prompt à critiquer tout ce qu'on lui enseignera. Dans un monde
de relativité, rien n'est vrai que ce que la perception intuitive
de l'individu reconnaît comme tel. Mais il doit s'élever au
niveau de l'enseignement qu'on lui dispense et qui ne doit
jamais tomber dans la discussion qui réduirait l'expérience
Zen au domaine conceptuel et serait par conséquence la négation du Zen. Abordons-nous des sphères si hautes que nul
n'osera se hasarder à enseigner ? Avoir peur serait manquer
de sagesse et l'on dit que le meilleur moyen de s'instruire est
précisément d'enseigner. Les deux ne font qu'un, chez soi,
au bureau, ou au Temple.

Finalement, celui qui part en quête du Zen devra perdre
l'habitude, à laquelle obéissent la plupart d'entre nous, d'attribuer quelques heures particulières au bouddhisme et au Zen
et de consacrer le reste de leur temps à leur famille, leurs affaires et leur vie sociale. Suzuki cite ces paroles du maître Penhsien : « Si tu veux réellement pénétrer dans la vérité du Zen,
cherche-la en marchant, en dormant, en parlant, en restant
silencieusement assis ou en accomplissant les travaux quotidiens. » L'Impensable doit être le thème central de notre
réflexion à tout moment et en tout lieu. Daito Kokushi adressait à ses élèves l'exhortation suivante : « N'oubliez jamais
au cours de la journée de vous plonger dans l'étude de l'Impensable. Le temps file comme une flèche, ne vous laissez pas
troubler par les soucis du monde. Soyez toujours aux aguets.
O moines, soyez diligents ! soyez diligents ! »

Ce n'est que par un tel effort, énorme et soutenu, que l'esprit
de l'élève s'éveillera à nouveau ou, plus exactement, permettra
à l'esprit Non-né de Bouddha de se manifester à travers cet
aspect particulier de lui-même. C. G. Jung — l'un des grands

philosophes européens du xxᵉ siècle — fait écho à cette vérité fondamentale du bouddhisme lorsqu'il insiste sur l'importance de l'individu. Dans ses *Essays on Contemporary Events*, il écrit : « Le concept n'est pas porteur de vie. Le seul porteur de vie naturel est l'individu. » Le conseil, la société, l'État ne sont que des rassemblements d'hommes et de femmes et en tant qu'entités ne sont que des concepts inventés par l'individu. Après tout, demande Jung, qui est l'État ? Une agglomération de nullités. Si l'on pouvait le personnifier, ce serait un individu, un monstre, d'un niveau intellectuel et moral beaucoup plus bas que la plupart des individus qui le composent, car il représente la psychologie de masse nantie du pouvoir suprême. » Puis dans une note p. 31 il cite un passage de *Idées* de Pestalozzi : « Les qualités humaines de notre race ne se développent que dans le face à face, le cœur à cœur. Cela ne peut se faire que dans de petits cercles qui s'élargissent progressivement dans une atmosphère chaleureuse d'amitié et de confiance réciproque. Le souci de l'individu est ce vers quoi doivent tendre toutes les méthodes d'éducation. »

L'avancement de la race humaine dépend du nombre croissant d'individus qui s'engageront sur la pente montagneuse menant à l'illumination. Les pactes et les traités n'affectent pas l'esprit des hommes et ne changent pas leur caractère. Tant que l'individu sera tiraillé entre ses désirs bas et égoïstes et la vision, lentement perçue, du Dieu intérieur, il sera en conflit avec lui-même et projettera ses luttes sur le monde extérieur. D'où la guerre des classes, les guerres économiques, nationales et mondiales.

« Accomplis ton propre salut avec diligence », dit le Bouddha. Ces dernières paroles prononcées à l'heure de la mort s'adressaient personnellement à ceux qui l'entouraient. Le chemin de Bouddha est rude et long, il s'étend sur des années et des vies entières. La lumière et la paix règneront sur la terre quand tous les hommes seront illuminés. Pas avant. En attendant, l'individu qui consacre toute son existence à cette fin ne peut que poursuivre sa marche de son mieux, en sachant que là-haut sur la montagne des milliers de mains se tendent vers lui pour l'aider et qu'au-dessous, un million de mains ont besoin des siennes.

C'est à cette fin que le cours est consacré. Puisse-t-il être utile.

BIBLIOGRAPHIE SOMMAIRE

Zen Buddhism, 35 p., et *Zen, A Way of Life*, 37 ½ p. Par Christmas Humphreys.
Selected Sayings from the Perfection of Wisdom, par le Dr E. Conze, 62 ½ p.
Buddhist Wisdom Books, by Dr E. Conze (volume 1).
Dr SUZUKI, *Introduction to Zen Buddhism*, 80 p.
The Sutra of Hui-Neng, 62 ½ p., et Dr SUZUKI, *The Zen Doctrine of No-Mind*, 80 p.
The Zen Teaching of Huang Po, 12 ½ p.
R. H. BLYTH, *Zen in English Literature*.
R. H. BLYTH, *'Mumonkan', the Gateless Gate* (*Zen and Zen Classics*, Vol. IV).
Dr SUZUKI, *Essays in Zen Buddhism*, Series 1, et *The Field of Zen*.
The Zen Revival. Thomas Merton, 35 p.
The Wisdom of Buddhism. Une anthologie éditée par Christmas Humphreys, 90 p.
Tao Te Ching; Dhammapada; Bhagavad Gita; The Fourth Gospel; The Voice of the Silence.

Tous ces textes peuvent être obtenus auprès de la Buddhist Society, 58 Eccleston Square, Londres SW1.

GLOSSAIRE

Sk = Sanscrit   P = Pali   Chin = Chinois   Jap = Japonais

ANATTA (P). Doctrine bouddhiste du Non-moi.

ATMAN (Sk). Moi Suprême — Conscience Universelle.

AVIDYA (Sk). Ignorance.

BHAKTI (Sk). Consécration à l'idéal spirituel.

BHAVANA (Sk et P). Développement de la personnalité, par la méditation et la concentration.

BODHISATTVA (Sk). Individu dont l' « être » est Bodhi. Sagesse résultant
de la perception de la vérité et s'accompagnant de la Compassion.

BOUDDHA. Titre qui veut dire Éveillé (Bodhi).
Fondateur du bouddhisme au VIe s. av. J.-C.

BRAHMAN. Principe suprême et impersonnel de l'Univers.

BUDDHI (Sk). Véhicule de l'Illumination. Faculté d'avoir une conscience directe de la Réalité.
Intuition.

DHARMA (P). ⎫ Système, doctrine, loi, vérité, ordre cosmique.
DHAMMA.   ⎬ Enseignement du Bouddha.

DHYANA (Sk). Méditation. Acheminement vers Prajna.
Le dérivé du mot est Zen en japonais, qui a un sens très différent.

DUKKHA (P). Souffrance sous tous les aspects. Dans le Theravada, ces
aspects naissent surtout du désir égoïste. Dans le Mahayana cette
souffrance tient à la manifestation des aspects de la dualité alors
que la vérité suprême réside dans la Non-dualité.

KAMA (Sk). Désir des sens, particulièrement le désir sexuel.
La convoitise qui vient de la fausse croyance en un moi séparé du
reste des choses et des êtres.

KARMA (Sk). Loi de cause à effet dans le domaine de l'esprit.
Le Karma n'est pas limité dans l'espace et le temps et n'est pas
strictement individuel. Il y a des groupes Karma (famille — nation).
La doctrine de la réincarnation est le corollaire principal de la doctrine du Karma.

KARUNA (Sk). Compassion active (cf. *prajna*).

KOAN (Jap). Mot ou phrase présentant un problème impossible à résoudre par l'intelligence et le raisonnement.
Procédé utilisé par le bouddhisme Zen Rinzai et aussi un peu par
l'École Soto, pour briser les limites de la pensée et développer l'intuition.

MAHAYANA. École bouddhiste du Grand Véhicule (de libération), appelée aussi École du Nord (Tibet, Mongolie, Chine, Corée et Japon).

MANAS (Sk). Intelligence — faculté de raisonnement.

MAYA (Sk). Illusion — Univers phénoménal de la différenciation et de la non-permanence.

NIRVANA (Sk). Le but suprême du bouddhisme. L'être est enfin libéré des limites de l'existence séparée. On peut y parvenir dans cette vie. Celui qui y parvient est *arhat*.

PALI. L'une des premières expressions du bouddhisme, qui fut adoptée par la suite par l'École Theravada pour conserver les enseignements du Bouddha.

PRAJNA (Sk). Sagesse transcendante. L'une des *paramitas* et l'un des deux piliers du Mahayana, l'autre étant Karuna (compassion).

SAMADHI. Contemplation de la Réalité — huitième stade de la Voie Octuple.

SAMKHARAS (P). Prédispositions mentales. Résultats karmiques de l'illusion mentale. L'une des cinq *skandhas*.

SAMSARA (Sk et P). Le continuel Devenir. Existence dans le monde comparée au Nirvana.

SATORI (Jap). Le « but » du bouddhisme Zen. État de conscience qui est au-delà de la discrimination et de la différenciation.

SILA (Sk et P). Code de morale bouddhiste.

SKANDHA (Sk). Les cinq éléments de l'existence qui sont conditionnés causalement et qui forment un être ou une entité. Ils sont inhérents à toute forme de vie active ou potentielle.

SUNYATA (Sk). Le Vide. Doctrine qui affirme le vide de l'ultime réalité. Elle supprime toute idée de dualisme et affirme l'unité du phénoménal et du nouménal.

TAO (Chin). Concept central du Taoïsme tel qu'il est exprimé dans le *Tao Te Ching*. Signifie à la fois l'Un et la manière d'y atteindre.

THERAVADA (P). « Doctrine des Anciens » qui formèrent le premier Conseil Bouddhiste. École du Bouddhisme de Ceylan, Birmanie et Thaïlande.

TRISHNA (Sk). Soif de sensations. Désir d'une vie « séparée ».

VEDANA (P). Réaction des sens au contact. Le septième lien des douze nidanas, chaîne des rapports de cause à effet, qui créent l'appétit de l'existence.

VIJNANA (Sk). Conscience. Faculté de connaître le monde phénoménal.

ZEN (Jap). Déformation du mot chinois Ch'an, qui lui-même est dérivé du sanskrit *Dhyana*. École du Bouddhisme Zen qui, de Chine, est passée au Japon, aux XIIIe et XIVe siècles.

TABLE DES MATIÈRES

IMPRIMERIE F. PAILLART

ABBEVILLE

N° d'impr. : 3853
Dépôt légal : 2ᵉ trimestre 1977.